donne & Co.

Tina Grube

GLI UOMINI SONO
COME IL CIOCCOLATO

Romanzo

SALANI EDITORE

Tina Grube

Gli uomini sono come il cioccolato

SUPERPOCKET

Titolo originale:
Männer Sind Wie Schokolade
Traduzione dal tedesco di Riccardo Cravero

© Fischer Taschenbuch Verlag GmbH, Frankfurt am Main, 1995
© 1997 Adriano Salani Editore s.r.l., Firenze

Edizione su licenza di Adriano Salani Editore s.r.l.
Superpocket © 2002 R.L. Libri s.r.l., Milano

ISBN 88-462-0230-9

La presentazione

Rieccola, la sensazione che tutto graviti attorno a un barattolo di margarina, o all'ultimo slogan per un lucido da scarpe che promette una brillantezza mai vista prima.

Per quanto tempo si può lavorare in un'agenzia pubblicitaria senza iniziare a uscire un po' di testa? Ecco quello che mi domandavo mentre osservavo la pila di carte in continua crescita sulla mia scrivania. Lo stomaco gorgogliava nervosamente, chiaro sintomo di stress da superlavoro, e al pensiero di quello che la giornata mi avrebbe ancora riservato il brontolio si faceva ancora più intenso.

«Linda, il tuo fax è partito» disse la mia segretaria gettandomi un preventivo 'di vitale importanza' sul tavolo.

«Be', se il cliente lo firma entro le prossime due ore, possiamo dare il via libera al fotografo» riflettei ad alta voce. Se non lo faceva, allora avrei avuto un problema. Uno di quei problemi che farebbero sorridere una persona normale. I miei genitori avrebbero fatto tanto d'occhi se avessero saputo che cosa si trovava ad affrontare oggi la loro figlioletta. Un tempo erano gli insegnanti di scuola, un naso rotto, il flirt andato storto con il ragazzo della porta accanto. Oggi era il lavoro: scadenze troppo vicine, accessi di panico e la carta che si incastrava nella fotocopiatrice nel bel mezzo della notte.

Il capo si affacciò alla porta in tutta la sua regale altezza e larghezza: «Vieni un po' da noi, vogliamo farti vedere una cosa».

E chi diavolo era *noi*? Eccoli là: il mio capo Peter, sovrano assoluto con aspirazioni da imperatore, il grafico Hans, il copy Tom e poi Karl, tendente ormai al senile, che saliva gli ultimi scalini della sua carriera come consulente. Una bella combriccola di maschi, insomma. Era allo studio una nuova campagna pubblicitaria di quelle con tanto di sceneggiatura per lo spot, inserzioni per la stampa e compagnia bella. Tutti e quattro i signori uomini contemporaneamente, in preda all'eccitazione, cercavano in modo selvaggio di attirare la mia attenzione per presentarmi il prodotto (un nuovo orologio da polso dal design spiritoso), il target della campagna e infine il succo dei loro sforzi creativi.

Karl mi trascinò alla finestra per mostrarmi i bozzetti che stavano allineati uno di fianco all'altro: «Guarda qua: sono le idee guida per le pagine doppie. Quella invece è la sceneggiatura per il film».

Hans lo interruppe mettendomi tutto inorgoglito sotto il naso un cartoncino con incollata sopra una foto: «Non è una figata?»

Intanto Tom leggeva con voce tonante i suoi slogan. Mi era difficile perfino deglutire: c'era una confusione da mal di testa. Piuttosto irritata mi guardai intorno cercando di ritrovare la concentrazione.

«Allora, che ne dici?» mi chiese Tom con un tono che mi faceva capire che ci aveva messo l'anima.

«Dunque, se ho capito bene il cuore di tutta quanta la faccenda è che un'avvenente fanciulla dovrebbe usare il prodotto – l'orologio, insomma – come inusuale giarrettiera, è così? Okay, l'idea è nuova. Non che si riesca granché bene a leggere l'ora, portando l'orologio sotto la gonna, ma... indubbiamente è originale. Però, carini, tutta quell'atmosfera da night club del vostro filmato non è molto da teenager. Noi ragazze d'oggi...» Tom ridacchiò sfacciatamente, «...vogliamo essere sexy e raffinate senza sembrare delle prostitute. Non come qui: calze a rete, scarpe di vernice rosse, tacchi stratosferici... Delle calze di delicata seta bianca e dei boxer corti di seta sono più nel nostro stile. È tutto?» Terminata di esporre la mia opinione, feci per alzarmi.

«No» fece il capo, «c'è dell'altro. Domani c'è l'incontro con il cliente per la presentazione delle nostre proposte, e ci chiedevamo chi volerà a Francoforte».

«Chissà perché ho come un presentimento» mi scappò detto.

«Già, come dicevi giustamente anche tu, Linda, questo orologio è un prodotto destinato a donne giovani, e sembrerebbe quindi un po' strano se ci presentassimo laggiù come fossimo la rappresentanza di un club maschile» disse Tom.

«Quindi abbiamo pensato a te» aggiunse il mio capo.

La cosa mi lasciò un po' sconcertata: «Ma io non conosco per niente il progetto, e poi che senso ha? Volete portarmi dietro come ornamento e farvi belli della mia presenza, lasciando che io confonda il nemico con le mie grazie?»

«No: tu prenderai parte alla presentazione insieme a noi. Tanto prima del volo hai ancora almeno sedici ore a disposizione, e per allora...» disse Tom.

Eccolo il mio vero problema. Alcuni sono presi fino al collo da bambini e pannolini, mentre io ho il lavoro che mi succhia il sangue come un vampiro. Un'altra di quelle notti! Raccogliemmo assieme tutto il materiale per la presentazione, selezionammo diapositive e ci esercitammo a esporre il progetto.

«Linda, hai gli occhi rossi come quelli di un coniglio albino. Dovresti usare del collirio, mia cara» consigliò Hans galantemente. Da parte sua, lui si era strapazzato a tal punto la chioma che avrebbe potuto far concorrenza ai punk del quartiere.

«E tu allora farai meglio a procurarti un pettine» lo punzecchiai per ripicca.

All'alba era rimasto appena il tempo per buttarsi sotto la doccia e farsi belle. Alle sette in punto mi trovavo all'aeroporto vestita a puntino e diritta come un fuso. Gli uomini invece sembravano avvitarsi su se stessi per la stanchezza, e a dispetto del nervosismo cercavano disperatamente di apparire cool. Mi augurai che oltre a essersi rasati alla perfezione si fossero concessi una dose extra di deodorante. Una volta saliti sull'aeroplano, tutti cercammo, ognuno a modo suo, di vincere le nostre piccole paure. Re Peter mangiò immediatamente quattro brioche, sicuramente senza neanche rendersene veramente conto, dal momento che lui di solito a quell'ora riusciva a buttar giù a mala pena una tazza di caffè. Il vecchio Karl si concesse circospetto «un prosecchino», come sussurrò piano alla hostess (ma noi l'avevamo sentito benissimo). Dentro di me scommisi che se non si fosse vergognato come un ladro, sicuramente avrebbe chiesto volentieri una seconda 'bottiglina'. Tom era tutto assorto nel suo silenzio e osservava con interesse il vuoto davanti a sé, mentre Hans sembrava darsi un gran daffare a imparare a memoria i titoloni sensazionalistici della *Bild-Zeitung*. Io facevo quello che era mia abitudine fare in situazioni simili: fumavo. Praticamente una sigaretta dopo l'altra.

Il mio capo borbottò: «La vuoi smettere di sbuffare fumo?»

Pazientemente gli spiegai: «Prima di tutto io non sbuffo: inalo, e a fondo. Secondo, se devo fare di queste levatacce, avrò almeno il buon diritto di fumare». E a scanso di equivoci me ne accesi dimostrativamente un'altra.

Ora di scendere dall'aereo ce l'avevo fatta: avevo la nausea.

Nel taxi iniziai col mio ticchio di calcolare quanto 'respiro' mi rimaneva. Allora, prima di giungere all'arena dei leoni ci sarebbe voluta almeno mezz'ora. Prima di aver montato tutto, dal proiettore per diapositive alla lavagna luminosa, sarebbero passati almeno altri dieci minuti. Poi sarebbero seguite le rispettive presentazioni e formule di cortesia in stile «Avete fatto un buon volo?» Per quelle almeno cinque minuti. In totale venivano quarantacinque minuti di 'respiro', prima dell'inizio della battaglia. Praticamente ancora un'eternità.

«Avete fatto un buon volo?» chiese al mio capo nella hall dell'aeroporto un tipo di media statura vestito sobriamente. Si trattava del cosiddetto 'communication central manager' dell'azienda, come ci spiegò. Sarà stato sui trentacinque anni, e aveva una bocca indisponentemente arrogante. Il suo nome era Mike Badon. Poco dopo, raggiunta la sede della ditta, stringemmo con molta solennità la mano del presidente del consiglio d'amministrazione, del direttore del marketing e del product manager. Per me fu abbastanza imbarazzante prendere parte a quel giro di presentazioni con le mani calde e umidicce di sudore nonostante fossimo in pieno inverno. Ma più ancora mi mandò in crisi la miseria del proiettore. Era già pronto all'uso, come da accordi, ma non si riusciva a trovare da nessuna parte il telecomando. Ora, in realtà c'erano dei pulsanti anche sull'apparecchio, ma dal mio posto sarei riuscita a raggiungere il centro dell'enorme tavolo delle riunioni solo se fossi stata uno dei Fantastici Quattro, quello con le braccia che si allungano a volontà.

Il presidente trovò subito la soluzione al problema: uomini che ricoprono tali posizioni e per di più consigliati dalla saggezza dei loro (almeno) cinquantacinque anni sanno sempre quello che si deve fare. «Signorina Lano non faccia complimenti, venga qua dalla nostra parte e si sieda pure sul tavolo!»

'Ti piacerebbe, eh, vecchio mio?' pensai maledicendo la brillante idea avuta quella mattina di indossare, contrariamente alle mie abitudini, una gonna corta e attillata. Ma che altro potevo fare? Col mio più convincente sorriso da pubblicitaria mi andai dunque a sistemare in mezzo al tavolo con le gambe piegate di lato, contornata dai miei colleghi che se la ridevano sotto i baffi. Se solo i miei genitori avessero saputo che avevo fatto tutta quella fatica a portare a termine gli studi per finire col troneggiare su un tavolo delle riunioni, mi avrebbero sicuramente più volentieri mandata a studiare da parrucchiera. Fortunatamente si spensero le luci, e le mie mani poterono continuare a tremare inosservate nel buio. Le diapositive della presentazione vennero proiettate sul telo ubbidendo ai miei solerti comandi, e tutto filò liscio. Noi pubblicitari fummo ancora una volta insuperabili. Quando le luci si riaccesero, scivolai sollevata con la maggior naturalezza possibile al mio posto. Silenzio. Colpiti? Delusi? No, i fanciulli sembravano contenti, e si accese un'animata discussione.

Io mi rilassai piacevolmente, lasciando che se la sbrigassero tra loro, finché Mike Badon non si rivolse direttamente a me: «Signorina Lano, riguardo all'abbigliamento della ragazza nello spot, lei ha accennato al fatto che la biancheria deve seguire il trend in voga tra le giovanissime. Potrebbe spiegarsi meglio, per favore?»

Ci mancava solo questa. Ah, quanto avrei voluto essere già a casa con la mamma, sotto l'albero di Natale!

«Voglio dire, noi crediamo che...» iniziò il mio capo.

«No» sentii dire da Mike Badon, «vorrei che fosse la signorina Lano a spiegarcelo».

Con studiata lentezza mi abbandonai dunque al mio destino: «Vede, la biancheria di seta oggi è di moda come mai prima d'ora. Noi avevamo pensato quindi a una canottierina di seta con un velo di pizzo, un paio di morbidi boxer bianchi e in nessun caso ridicole giarrettiere da bomba erotica».

Oddio, cosa stavo dicendo? I ragazzi iniziarono ad agitarsi sulle poltrone. Dovevo assolutamente salvare quell'uscita sulle giarrettiere.

«Vorremmo ricreare un'atmosfera sensuale che però sappia anche emanare un messaggio di purezza» proseguii arrampicandomi sugli specchi.

«E a che tipo di reggicalze avrebbe dunque pensato?»

chiese Badon con un sorriso da sporcaccione stampato in faccia.

Ormai non potevo più fermarmi: «Delicato, di seta, femminile, e bianco. E se vuole capire meglio, nel caso ci affidiate l'incarico, le porterò volentieri al nostro prossimo incontro di lavoro una piccola rappresentanza della mia collezione personale» gli scodellai inviperita. Maledizione, quello adesso alzava pure divertito gli angoli della bocca. 'Speriamo di perdere l'incarico: con questo non voglio lavorarci neanche un solo giorno' mi passò per la testa.

Durante il volo di ritorno facemmo un brindisi di buon auspicio. Il cliente disse che si sarebbe fatto sentire subito dopo l'inizio del nuovo anno, per farci sapere. Ci abbandonammo ancora a qualche elucubrazione, e io mi lamentai di quel Mike Badon, che trovavo avesse la bocca dell'attore Klaus Kinski e desse l'impressione di essere un vero pescecane. I miei valenti colleghi fecero ancora qualche inevitabile commento sarcastico riguardo alla mia conferenza sulla biancheria intima, e Tom affermò che la bocca di Badon assomigliava più a quella di Belmondo. Al diavolo, tanto sarebbe stato presto Natale.

Il Natale

Ero stata un vero genio, pensai inciampando sulla soglia del mio appartamento carica di sacchetti crepitanti poco dopo la chiusura dei negozi il 23 dicembre. Tutto fatto, neanche un regalo dimenticato, ed ero persino riuscita a sfilare da sotto il naso di un'altra acquirente indecisa la carta da regali più carina da quel mucchio disordinato. Orgogliosa e leggermente eccitata andai a prendere forbici e scotch per trasformare i regali in pacchetti pieni di mistero.

In quella suonò il telefono. «Ciao Linda» soffiò Simone, la mia più grande amica del cuore. «Volevo solo concordare la nostra strategia natalizia».

Mi venne da ridere: tutti gli anni per Natale noi due rientravamo dal nostro esilio amburghese nella patria terra di Berlino, per goderci le feste in famiglia (e per mettere a ferro e fuoco la città non appena riuscivamo a svignarcela dalle grinfie dei parenti).

Simone già pianificava: «Allora, la notte della vigilia e il giorno di Natale sono come al solito intoccabili. Che ne dici se però onorassimo della nostra presenza quel ristorantino che ci piace tanto il secondo giorno di festa?»

«Tesoro, sai che ti dico? È proprio quello che faremo! Non ho idea di quanto generosi si riveleranno i miei quest'anno, ma voglio scommettere che una bottiglia di champagne ci sta dentro di sicuro. Solo per noi due, da 'Fofi'. Sono ormai lontani i tempi in cui dovevamo aggrapparci a un triste bicchiere di vino annacquato».

Sentii Simone che rideva: «Sapessi come sono messa male a pecunia... Ti ricordi di quel vestito scandalosamente caro che due settimane fa mi sono comprata per quel verme di Andreas? Lui chi l'ha più visto, ma il prelievo dal mio conto mi fa venire le lacrime agli occhi ancora oggi. Spero proprio anch'io che dalla famiglia arrivi un aiuto finanziario... Comunque, è deciso: dopodomani siamo in pista!»

«Fantastico, e fino ad allora goditi i biscottini di Natale» terminai la conversazione per tornare a dedicarmi all'impacchettamento.

Il mattino dopo stavo già suonando alla porta di mamma, a Berlino. Mentre ancora osservavo cupa il cerotto sul mio indice (taglio assassino di quella carta per pacchetti sottratta con tanta abilità), mia madre aprì la porta.

«Guarda guarda chi c'è» canticchiò felice.

Dentro di me levai gli occhi al cielo ed ebbi il sentore che, come al solito, mi sarei dovuta controllare non poco. Chissà dove diavolo mia madre andava a pescare il suo stato di perenne giubilo. Stressata come ero, tutta quella gioia mi dava terribilmente sui nervi. Rimproverandomi di essere una figlia ingrata, mi sottomisi docilmente agli abbracci di benvenuto e a bacetti di vario genere.

«È arrivata Linduccia » gridò a mio padre con voce flautata.

«Ah, la Linduccia» disse mio padre sollevando gli occhi da un raccoglitore di francobolli. Mentre si alzava per venire a darmi il paterno bacio sulla guancia, non potei fare a meno di sorridere. Era fantastico: Linda la dura pubblicitaria in carriera per qualche giorno poteva tornare a essere 'la Linduccia' di una volta. Rilassata, mi lasciai cadere di peso sul sofà a fiorellini.

«Hai fame?» chiese la mamma.

Scossi il capo con decisione. Qui la dieta potevo scordarmela; l'unico modo per sfuggire alla natalizia linea da barilotto era evitare ogni pasto, merenda e spuntino al di fuori delle abbuffate canoniche. In caso di emergenza, ricorrendo a qualche innocente bugia.

«No, grazie, ho appena fatto una bella colazione sull'aereo» risposi mentre davanti agli occhi rivedevo il bicchierino striminzito di succo d'arancia della Lufthansa.

«Neanche un po' di frutta? Lo sai quanto sono importanti le vitamine!» disse la mamma. E oplà, sul tavolo era già comparsa una mela con tanto di coltellino da frutta.

«Sì, lo so, ma sono veramente sazia» cercai di tener duro.

«Abbiamo anche dei panini appena sfornati. Ma se preferisci posso farti un toast» continuò l'inventario.

'Nervi saldi, mantenere i nervi saldi' mi ripromisi. Più tardi, mentre mio padre mi stava mostrando una filigrana particolarmente interessante su un francobollo iugoslavo vecchio come il cucco, mi ritrovai ad affondare con gusto i denti in una rosetta al miele, cercando di cancellare per un po' dal mio vocabolario la parola 'calorie'. Mia madre mi salvò da ulteriori conferenze filateliche richiamando la mia attenzione sull'albero di Natale. «Dimmi: non trovi che sia venuto particolarmente bene?» mi chiese.

«Mah...» esitai, «... non trovi che per una volta potremmo tornare a sostituire quello di plastica con un abete vero?»

Mia madre aggrottò la fronte: «Bambina mia, sai bene che l'ultimo ha completamente rovinato il pavimento!»

Oh già, me ne ricordavo benissimo. L'ultimo cosiddetto 'vero' fu quel meraviglioso esemplare di ben sei anni fa. Una bella concomitanza di più avvenimenti sfortunati. La moquette era nuova. Come al solito, non di mio gusto. Ma i miei erano convinti che non ci fosse al mondo nulla di più pratico della moquette a quadri. Mi sembrava di sentire ancora mia madre che diceva: «Sai, piccola, se uno dovesse mai fare una macchia, può semplicemente cambiare il quadrato rovinato con uno nuovo».

Il ragionamento sembrava non fare una grinza, se non fosse che purtroppo erano andati a scegliersi proprio quel repellente marrone scuro. Il mio sogno all'epoca sarebbe stato di coprire tutto con una bella ondata blu mare, ma i miei preferirono rimanere con i piedi ben piantati sulla terraferma. Il secondo dei mali fu che mio padre uscì per procurarsi l'alberello solo all'ultimo giorno.

«Vedrete che farò un affarone» aveva sottolineato. «Più uno aspetta, più quei cosi scendono di prezzo».

E invece riuscì a risparmiare solo comprando il più economico tra gli abeti che non erano ancora stati ridotti di prezzo. Cosa che avrebbe potuto fare fin dall'inizio. Tutto orgoglioso, piazzò in soggiorno il povero alberello, che nei giorni successivi non trovò di meglio da fare che protestare contro il nostro riscaldamento centralizzato con una singolare reazione: eiettando da sé con tutte le proprie pur deboli forze ogni singolo ago. Purtroppo questi andarono a conficcarsi così profondamente nei quadrati di moquette che non fu più possibile estrarli. Così si poté finalmente innescare il tanto decantato meccanismo di rimpiazzo. Ma come avviene spesso nella vita, i miei avevano a disposizione solo cinque quadrati di moquette per i casi di emergenza, che per i danni da aghi di pino non bastavano neanche per incominciare. Così la rovina della nuova moquette divenne inevitabile. Per le feste successive mia madre andò ai grandi magazzini e si appropriò di un magnifico albero: molto verde, molto di plastica, e smontabile.

Questa meraviglia stava ora sotto i miei occhi, addobbato con qualche stella di paglia e qualche melina di legno, e attorcigliato in un filo elettrico disseminato di lucine colorate.

«Sai che ti dico? Mi piace questo look così *nature*» mi confidò mia madre dando un colpetto a una stella di paglia. «I miei alunni hanno fatto decine di queste stelle nell'ora di lavoro manuale» mi spiegò.

Riuscivo a immaginarmi abbastanza bene come quei trenta piccoli che imparavano a leggere e scrivere da mia madre sedessero ora con le guance rosse di emozione davanti a esemplari simili a questi, nelle loro casette.

«E va bene» mormorai respingendo via rassegnata la

visione di un albero di Natale riccamente e splendidamente addobbato con fili d'argento, grosse bocce e candele sgocciolanti cera.

Per pranzo ci fu pizza surgelata.

La mamma si sentì in dovere di scusarsi: «Stasera però vedrete che cenetta!»

Tra un boccone e l'altro mio padre mi sottopose a un interrogatorio per sapere se nelle ultime settimane mi ero data da fare. Lottando con la base della pizza, davvero croccante – praticamente una roccia –, gli raccontai un po' di me. Tralasciai la scena al tavolo delle conferenze e mi lamentai piuttosto dello stress e degli straordinari.

«La cosa più importante è che il tuo capo sia soddisfatto di te» intervenne mio padre.

«Certo che lo è» dissi. E poi, cercando di chiarire il tipo delle mie prestazioni: «Lo sfruttamento degli schiavi è proibito, ma nel mio campo rimane sempre in auge».

«Tutti lavorano molto» obiettò il papà, che dopo una vita da impiegato statale intascava ora la sua sudata pensione.

Sentii crescere in me lo spirito di contraddizione, per quanto la pizza, pesantissima, mi rendesse già stanca. «Hai idea di cosa significhi trovarsi all'una e mezzo di notte in ginocchio ai piedi di una fotocopiatrice, stravolti di stanchezza e con le lacrime agli occhi, con la bella prospettiva di dover essere di lì a cinque ore all'aeroporto, freschi di doccia e ben pettinati, pronti per una presentazione?» chiesi con un filo di aggressività.

«Ma certo» rispose, e garantito che non se lo poteva immaginare neanche lontano un miglio.

Decisi che per il momento fosse il caso di accantonare questa discussione, e mi misi a considerare l'idea di un bel pisolino pomeridiano.

La mamma mi lesse nel pensiero: «Non vuoi stenderti un momentino?» chiese teneramente mentre già sistemava la mia preferita coperta morbidosa. Oplà, mi sdraiai a gustarmi il placido pomeriggio.

Fu il profumo di caffè a svegliarmi. Delle due che erano sul tavolo, la torta di mele aveva sicuramente meno calorie – no! questa parola non dovevo neanche pensarla! – diciamo... meno joule della torta alla crema. Mmm, fantastica, con quelle belle colature di burro. E che sogno le quattro chiacchiere con mamma e papà.

«Heinz, adesso però basta» protestò mia madre quando papà cercò di prendere con nonchalance la terza fetta di dolce. Lui guardò con aria colpevole la piccola cupola della sua pancia che premeva contro i bottoni della camicia.

«Ma è Natale...» protestò, abile come non mai nel tenere in bilico a mezz'aria la fetta sul coltello da dessert.

Mia madre scosse gravemente la testa: «Quest'uomo vuol mangiare fino a scoppiare».

Cambiai svelta argomento: «E quando arriva Baba?» chiesi.

«Verso le sei» disse la mamma. «Questo pomeriggio aveva ancora un turno alla clinica».

Baba è mia sorella medico, sempre in servizio: lei salva la vita alle persone, io tiro fuori dal cilindro magico i sogni che loro ancora non sanno di avere.

Con il solito ritardo, alle sei e mezzo arrivò Baba, ovvero Barbara, anche se nell'intimità delle quattro mura domestiche il suo nome è 'Barbarella'. Come al solito era in continua agitazione, e non appena mi vide accendere una sigaretta le venne la prima crisi.

Mia madre osservò irritata Baba mentre si dirigeva a razzo verso il frigorifero e lo apriva per bere un rapido sorso direttamente dalla bottiglia di succo di mela, scavava con le dita nelle torte, e poi sollevava velocemente la pellicola di cellofan che copriva accuratamente i piatti di portata, uno a uno.

«Cosa c'è stasera di buono?» chiese. Non mi sbagliavo: il suo tono aveva un che di sospetto, quasi l'aspettasse al varco.

«Un bel piatto di pesce misto» disse nostra madre tutta inorgoglita.

«Mi viene l'urto di vomito solo al pensiero. Pesci freddi stecchiti» mi sussurrò Baba senza farsi sentire.

Il mio gomito incontrò le sue costole. «Vedi di controllarti» le borbottai.

«Speriamo almeno che non ci siano anche quei disgustosi rotolini di palombo» aggiunse Baba sottovoce.

«Ho comprato salmone, insalata di aringhe, trota affumicata... e soprattutto degli ottimi rotolini di palombo» disse la mamma.

Baba gemette e attaccò a grattare la sua allergia alle mani. «Sono i disinfettanti» spiegò.

«Cosa vai brontolando?» chiese severa la mamma, da vera maestra.

Baba sviò in fretta il discorso: «Niente, niente. Hai preso anche della salsa di rafano alla panna per il salmone?»

«Ma certo: è nel vasetto, nella porta del frigo» disse la mamma.

«Quella donna avrà mai sentito l'espressione 'fatto in casa'?» mormorò Baba.

'Perfetto' pensai. Quello non era un déjà-vu, ma semplicemente in tutto e per tutto una riedizione fedelissima dell'edizione dell'anno precedente. Ebbene sì, la nostra è una famiglia assolutamente rodata: albero di plastica e piatto di pesce misto con rotolini di palombo, questo è quello che si chiama tradizione!

Comunque, mia sorella riuscì senza troppa fatica a sopravvivere alla cena. Anzi, nonostante si fosse già ingozzata a dovere, la cosa non le impedì di rilanciare, facendo il bis persino di rafano alla panna preconfezionato. Ma non ci risparmiò la sua vendetta, che ebbe il solito corso: si mise a raccontare in modo molto colorito del proprio lavoro. E così imparammo tutti come si sutura al meglio una ferita profonda spaccata in fronte, nonché le ultime tecniche per praticare un taglio della carotide che lasci il minor danno estetico possibile. Il tutto con quel suo tono di voce risoluto che non ammetteva interruzioni. Dopo tutto, avevamo tanto voluto tutti quanti che diventasse medico, che ora a lei qualsiasi momento sembrava buono per farci sorbire le sue storie.

«Non sarebbe ora di ascoltare le canzoni di Natale?» chiese mia madre.

«Come se potessimo rifiutarci» disse papà mettendo sul piatto dello stereo il disco che la mamma aveva nel frattempo già scelto. Papà, Baba e io per qualche oscuro motivo odiavamo il sentimentalismo che ci assaliva nel sentire *Tu scendi dalle stelle*.

La mamma invece si godeva le canzoni di Natale a fondo, e con gusto: «Che bello» disse, e si mise a cantare insieme al disco.

Noi altri ci scambiammo uno sconsolato sguardo di intesa levando preghiere al cielo affinché dopo la prima canzone si ravvedesse. Ma non fu così.

Vennero ancora *Jingle bells*, *Ave Maria* e *Bianco Natale* che ci lasciarono ad agitarci rassegnati sulle nostre sedie, almeno fino a che io e Baba non ci alzammo per andare a prendere i regali. E allora, senza smettere di canticchiare, si alzò anche la mamma perché era arrivato il momento dell'apertura dei pacchetti.

Ci volle ancora una buona mezz'ora prima che la mamma slegasse il primo nastro: se ne stava felice davanti ai suoi regali, accarezzandoli.

«Oh, guarda questo che bello! Quanta pena che vi siete date anche quest'anno per confezionare i pacchetti! Guarda, Heinz, il nastro di seta è in tono con il colore del cappello del Babbo Natale sulla carta... è un peccato aprirli!»

Alla fine comunque riuscì a vincersi, mentre Baba aveva già attaccato le gelatine alla frutta. Papà e mamma erano colmi di gioia, e anche io e Baba, naturalmente: le lenzuola fortunatamente non erano così terribili, i libri erano sicuramente 'interessanti', e gli anelli che il papà doveva essersi procurato a una qualche asta in un paio d'anni sarebbero senz'altro tornati di moda... al più tardi per quando fosse venuto in auge il look da bisnonna.

Il pesce cominciò a fare il suo effetto. Assetata, morta di stanchezza e armata di una grossa bottiglia d'acqua marciai a letto. E non sognai del bambin Gesù, ma di una campagna pubblicitaria per dei filetti di trota di plastica.

Vita notturna

I primi due giorni delle feste di Natale trascorsero nel segno di grandi abbuffate. Arrosto di tacchino, biscottini d'anice e crostini al formaggio francese, serviti alla discreta luce di candele artificiali, andarono ad accumularsi tutti su fianchi e cosce.

«Oddio, scoppio» gemetti quando, preparandomi per la mia serata libera con Simone, cercai di infilarmi i pantaloni diventati troppo stretti. Mentre cercavo di dare una qualche forma ai miei riccioli scuri, mi esercitai a tenere in dentro la pancia, giusto a scopo di profilassi.

«Ma come siamo chic questa sera» notò la mamma quando dopo due ore ritenni che i miei sforzi fossero stati sufficienti.

Il papà criticò il mio trucco agli occhi: «Chi esagera ottiene spesso l'effetto contrario».

«Ma papà, la concorrenza non se ne sta con le braccia conserte! E poi dappertutto è così scuro che per farsi notare bisogna dar mano al trucco».

«Scuro? Non andrete mica in uno di quei locali equivoci, eh? C'è scritto su tutti i giornali che...» attaccò, ma io lo interruppi senza pietà.

«Niente paura: oggi è la nostra serata speciale. Andremo in locali di gran classe e per una volta eviteremo quelli 'equivoci'».

Cercai di scivolare fuori dal taxi il più elegantemente possibile, sperando che Simone fosse già arrivata al 'Fofi'. Naturalmente non c'era ancora, e io cercai di attraversare con scioltezza il pavimento di legno del locale, mantenendo una sovrana espressione statuaria.

Uno dei camerieri mi riconobbe e mi salutò affettuosamente: «Ciao, Linda, come va ad Amburgo? E come stai?»

Mi compiacqui del suo interesse e risposi vagamente: «Oh, Amburgo è là. E io sto benissimo, grazie».

Lui sgusciò via a prendere il menù, e io mi guardai intorno soddisfatta. Amavo quel locale, al quale mi legavano un sacco di ricordi. La luce soffusa, i quadri astratti alle pareti e il bancone del bar, così accogliente, mi fecero tornare alla mente serate incredibili, a volte romantiche, altre scatenate e spavalde. Ma ecco avanzare verso di me Simone, che mi avvolse in una fitta nuvola di profumo.

«Ciao dolcezza. Puah, finalmente sono riuscita a sfuggire dalle grinfie della famiglia. Sei stata messa all'ingrasso anche tu?» si informò.

«Eccome! Negli ultimi tre giorni mi sono sbafata quello che di solito mangio in due settimane. E per il resto, che mi racconti? Hai ricevuto dei bei regali? Hai fatto su un po' di grano?» domandai curiosa.

Simone ridacchiò: «Regali sì, grano nisba. Allora, cosa beviamo?»

Rassegnata, ordinai al cameriere due bicchieri di acqua e vino, il che mi valse il suo sguardo di disapprovazione. «E un piatto di antipasto misto con due piattini». Oh oh, ancora quello sguardo. «Tanto per cominciare. Poi vediamo cosa prendere dopo» mi affrettai ad aggiungere.

Ci guardammo attorno. Come al solito, c'era tutta la crème de la crème di Berlino.

«Guarda lì dietro» bisbigliò Simone, «quella non ha ancora smesso di andare in giro con i ragazzini. Come diavolo fa quella vecchia gallina ad arpionarseli?»

Senza farmi notare gettai un'occhiata alla strana coppia del tavolo vicino. «Chissà, forse un giorno saremo anche noi come lei. Se non troviamo in fretta un ragazzo dalle intenzioni serie, ci ritroveremo pure noi a dover sedare le nostre frustrazioni con la gioventù d'oggi».

Sorseggiammo dai nostri bicchieri di acqua e vino con poco entusiasmo. «Bella roba da bere a Natale!» si stava lamentando Simone proprio quando, all'ennesimo spalancarsi della porta, entrò nel locale una specie di Sean Connery giovane. A dire il vero lo smoking gli stava piuttosto bene, forse giusto la sciarpa bianca era buttata all'indietro con un po' troppa affettazione, ma nell'insieme...

«Lo conosci?» chiese Simone.

«Chiunque sia, rientra nel genere 'Casanova urbano'» le risposi.

Ora stava discutendo con il cameriere, che si strinse nelle spalle. Evidentemente c'era qualche problema con il tavolo. Il suo amico, meno appariscente, si guardò intorno alla ricerca di un posto libero. Era chiaro che il suo sguardo si sarebbe fermato sulle due sedie libere al nostro tavolo. E le cose presero inevitabilmente il loro corso.

«Scusate, saremmo inopportuni se vi chiedessimo di dividere il tavolo con voi?» chiese galante il Casanova regalandoci uno sguardo da stecchire.

Stavo giusto per rispondere quando Simone, afferrando il mio ginocchio sotto il tavolo, cinguettò melodiosa: «Ma vi prego, accomodatevi pure».

Tipico: la mia amica i tipi messi bene li riconosce a colpo sicuro, e loro sono già bell'e che spacciati.

I due ci squadrarono senza tanti complimenti. Evidentemente dovevamo aver superato l'esame, se cinque minuti dopo sul tavolo campeggiava una bottiglia di champagne con quattro bicchieri. «Beccàti» mi sussurrò Simone per aggiungere tutta fascinosa un secondo dopo: «Per la verità non era nostra intenzione eccedere con l'alcol, ma a una coppa di champagne non si può mai dire di no».

Ormai avevo capito l'antifona: per Simone in quel momento il mondo intero si era trasformato in un palcoscenico, e per la verità nel frattempo anch'io ero entrata nello spirito giusto per recitare un pochettino insieme a lei.

Alla seconda bottiglia di champagne Simone 'ammise' in tono mondano qual era la nostra professione: «Vedete, il Natale se non altro ci dà l'opportunità di fare una piccola pausa per tirare il respiro. Dovete capire: noi siamo attrici! E sapete, dover continuamente studiare un nuovo ruolo è una cosa che ti divora l'anima...»

Con una punta di sofferenza nella voce rincarò poi subito la dose: «Non basta certo imparare a memoria la parte, sapete? Bisogna trasformare di continuo la propria personalità, in un certo qual modo è come dover entrare nella pelle di qualcun altro!»

Cosa che la mia amica sapeva fare benissimo, a quanto pare. Udo – così si chiamava il Casanova – commentò: «Me l'ero immaginato subito. Avete tutt'e due quell'aura che possiedono solo le donne di teatro. Dove state lavorando, in questo momento?»

«Bottropp» mi affrettai a buttare lì io: chi vuoi che conosca un teatro a Bottropp?

«Ma in primavera saremo in tournée» ostentò Simone, e buttò giù un'altra sorsata. Con decisione, cercai di cambiare tema, che tutta questa storia iniziava a scottare.

«E adesso dove ce ne andiamo?» chiesi ai due signori uomini.

Loro si strizzarono l'occhio a vicenda, e Udo annunciò: «Sorpresa». E sorprese lo fummo davvero, quando fuori dal locale ci ritrovammo davanti a una Rolls-Royce lustra da accecare.

«Niente male, per una serata che era iniziata ad acqua e vino» mi sussurrò Simone.

Ci sentivamo già un po' brille, e lasciammo volentieri che la limousine ci facesse scivolare attraverso le strade notturne di Berlino.

«E adesso facciamo cadere un po' di neve» disse Udo.

Io non riuscii bene a capire: quel tipo non mi sembrava assomigliare granché a san Pietro. Simone invece sbarrò immediatamente gli occhi, e devo aver fatto una faccia idiota anch'io, non appena intuii finalmente che Udo non si riferiva certo alla neve che cade dal cielo, ma a quella che si tira su con il naso.

Quando lui ci disse: «Si parte, ragazze: non fate quelle facce», Simone scosse con decisione la testa.

Il brav'uomo prese piuttosto male il fatto che tutt'e due rifiutassimo la sua generosa offerta, ma non aveva messo in conto che si trovava davanti un team di amiche con un'esperienza pluriennale alle spalle. Eravamo fermi a un semaforo rosso quando io e Simone ci scambiammo una rapida occhiata, annuimmo e spalancammo di botto le portiere. Piuttosto inelegantemente, ma tanto più fulmineamente, ci scapicollammo giù per la via sparendo dietro al primo angolo.

Senza più fiato, ansimai: «Piuttosto sinistro, il nostro amico pupazzo di neve».

Simone si limitò a ridacchiare ed estrasse dalla borsetta come minimo per l'ottava volta in quella serata il suo lucidalabbra rosso fuoco. È sicuramente l'unica donna al mondo che riesce a sporgere le labbra e a parlare con una certa chiarezza allo stesso tempo.

«Scordati di quell'imbecille. A cinque minuti da qua c'è un night-club che è una favola: coraggio, andiamo a combinare guai!»

Detto, fatto. Fummo accolte da una musica assordante, da spaccare le orecchie. Occupammo immediatamente due sgabelli a un tavolino di marmo su cui già stavano un secchiello per il ghiaccio, vari bicchieri da cocktail, pacchetti di sigarette e qualche pochette. Una specie di cappone evidentemente pieno fino all'orlo andò a sbattere contro Simone.

«Simone, non mi riconosci?» fece quello.

Registrai una leggera difficoltà nell'articolare le parole.

«Ma certo. È un pezzo che non ti si vede. Come ti va la vita, Holger?» chiese allegra Simone ammiccando verso di me. Mi venne in mente di una love story di anni prima, che avevo quasi dimenticato».

«Io ti ho sempre amata. Solo che a te non ti frenava» biascicò Holger roteando gli occhi da pazzo.

«Non mi frenava?»

«Fregava, volevo dire» si sforzò di spiegare Holger, cercando di stare in equilibrio sui suoi piedi. Con lo sguardo vitreo fece un passo verso Simone, ma perse il controllo dei motori e iniziò un avvitamento in picchiata. Cercò quindi di aggrapparsi alla manica della mia giacca, e tutto precipitò: io non potei sostenere l'impatto da corpo morto, mentre mi rovesciavo all'indietro feci appena in tempo ad aggrapparmi al tavolino, e ormai in caduta libera riuscii solo a sentire un violento schianto.

Per farla breve: la cenere di sigaretta sui pantaloni non era niente in confronto all'appiccicaticcio della pinha colada che sgocciolava dalla manica o al secchiello da ghiaccio che era andato a sbattermi dritto sulla caviglia. Se non altro non ero stata colpita dal piano di marmo del tavolo, che ora giaceva sul pavimento. Simone guardò esterrefatta le sue scarpine scamosciate un tempo perfette, adesso fradicie e leggermente imbarcate. Mentre lei cercava di calmare il direttore del locale, subito accorso, il suo incantevole ex ne approfittò per sgattaiolare alla chetichella fuori dal locale. Io intanto mi davo da fare a ricomporre alla meglio la mia pettinatura, che emanava uno spiacevole effluvio di whisky.

«Ma guardati: puzzi come tutta una bettola!» fu il commento di Simone non appena fummo fuori dalla porta.

Io alzai gli occhi verso la mia amica, colsi un ombrellino da cocktail dalla sua chioma e attaccai a ridere. Sempre sghignazzando salimmo in un taxi, rovinate come eravamo. Il tassista mormorò qualcosa come «femmine ubriache», cosa che non ci fece più ripigliare dalla ridarella.

Reprimendo a forza i risolini scivolai in casa e raggiunsi in punta di piedi la stanza da bagno. Mentre cancellavo le tracce della nottata, pensai: 'Non c'è niente di meglio di una meravigliosa serata a base di champagne. Peccato solo che adesso ci abbiano diffidate dal tornare in quel club. Ma, come avevo promesso a papà, se non altro non siamo andate in nessun locale equivoco dove alle ragazze accadono sempre di quelle cose incredibili. Sono proprio una figlia esemplare'.

Il ballo

Era una tecnica proprio niente male: per prima cosa iniziava a gracchiarmi dalla radio Madonna, e poi, cinque minuti dopo, alle dolci melodie di Julio Iglesias si sovrapponeva lo spietato 'biiip' della minisveglia. Era il miracoloso 'effetto doppia sveglia', come predicavo sempre ai miei colleghi che battevano tutti i record di ritardo la mattina. Completamente stravolta di stanchezza, cercai ora di coordinare gli occhi per farli aprire tutti e due contemporaneamente. Riuscita. Guardai storto il livido sullo stinco, ricordo delle mie scappatelle berlinesi. Dopo un capodanno intenso, le cui conseguenze erano state arginate solo grazie al ricorso a una dose massiccia di Alka-Seltzer, incombevano solo i doveri. Uno strascico dei postumi dell'alcol e una contrazione nervosa allo stomaco in vista del primo giorno di lavoro dell'anno ridestarono le mie fantasie dei tempi di scuola: che bello sarebbe stato poter marinare... L'orologio ticchettava impietoso. 'Non c'è niente da fare' mi dissi trascinandomi a fatica fuori dal letto.

Bene, e ora il momento della verità: entrava in scena la bilancia. Con imbarazzo guardai l'ago che si era spinto in regioni sconosciute della scala graduata. Sotto la doccia cercai spasmodicamente di ignorare la mia pancetta e di concentrarmi sulla formulazione dei fatidici buoni propositi di inizio d'anno. Dieta. Lavoro. E per fortuna mi fermai lì, o chissà cos'altro mi sarebbe venuto in mente.

Quando finalmente mi precipitai in direzione dell'agenzia, avevo le dita mezze congelate per aver raschiato via il ghiaccio dal parabrezza, ed ebbi una volta di più la conferma che la vita può essere proprio dura.

Non avevo ancora fatto in tempo a mettere tutti e due i piedi nell'ufficio che sua maestà Peter mi freddò: «Hai passato delle buone feste?»

«Eccome! È stato splendido. Si è divertito anche lei?»

chiesi di rimando, orgogliosa della mia carica di ottimismo.

«Siamo stati a sciare a Davos. Bella gente, molto sport, aria buona» rispose.

Tipico, trovai, evitare di menzionare il vin brulè, le coniglictte sulla neve e gli altri piaceri orgiastici. Un manager di quel livello deve sempre fare il serio a tutti i costi.

Anche Tom e Hans vennero subito a ronzarmi intorno. Nel mio ufficio ci raccontammo quindi una versione più realistica delle nostre vacanze, instaurando un meraviglioso clima cospiratorio.

Nel pomeriggio il boss mi chiamò da lui.

«Linda, abbiamo ricevuto un invito fantastico da parte del nostro signor margarina» giubilò.

«Ma davvero?» chiesi sospettosa.

Pensai al signor Domann, un uomo a suo modo non spiacevole, ma pelato come una palla da biliardo. Certo, se almeno non avesse sputacchiato in quella maniera quando parlava...

«Andremo assieme a un ballo!» annuncio Peter.

«Dove?» lo guardai incredula.

«Oh, è il ballo della confederazione tedesca dei produttori di alimentari. Pensa un po': all'hotel Atlantic! Che ne dici?»

'Fuga!' mi balenò per il capo. In caso di emergenza, fuga in avanti: «Non posso», e per sottolineare la mia decisione, alzai volitiva il mento verso l'alto.

«Ma se non sai neanche quando è il ballo» protestò Peter.

«Non importa quando o dove: non ho un abito adatto. E non peggiorerò certo il rosso del mio conto in banca per il caro signor Domann, neanche a crepare» mi opposi con fermezza inamovibile. Questo avrebbe dovuto metterlo fuori combattimento. Ma naturalmente non lo fece.

«Ah, se è solo per questo! Ti darà una mano la Suse, anzi, parlale subito. Il ballo è domani». Mi battè gioviale la mano sulla spalla e mi spinse fuori dal suo ufficio, ammutolita com'ero.

Perfetto, adesso avrei dovuto anche mettermi a discutere del mio guardaroba con la graziosa consorte del mio capo.

«Possibile che debbano capitare tutte a me?» mormorai entrando controvoglia nell'ufficio della consorte regale.

«Ciao, Linda. Tutto bene?» mi accolse lei amichevolmente glaciale.

«Come no» risposi. «Il ballo con il nostro cavaliere della margarina mi si è messo qui di traverso sullo stomaco».

Miss *nouvelle riche* si mise in femminea postura di fronte a me. «Perché, ti fanno male i calli?» chiese sollevando il sopracciglio sinistro in modo vagamente arrogante.

«In realtà non è tanto una questione di calzature» esitai. «È che non ho niente da mettermi. Niente abito da sera o da cocktail, o roba del genere» sputai il rospo.

Suse, la consorte regale, rise.

Io per la verità non trovavo la cosa tanto divertente.

Ma lei partì in quarta: «Sai, mi sono giusto regalata da poco un abito da sera che è un sogno. Arancio infuocato, spalle scoperte, con la parte superiore a mo' di corsetto, capisci cosa voglio dire...? E con una gonna che non ti dico, tutta uno strascico... Non vedo l'ora di indossarlo, domani sera».

«Grazie, sei di grande aiuto» dissi.

«Fammi un po' pensare... sì, ci sono!» gridò facendo schioccare energicamente nell'aria le dita piene di anelli della mano destra.

La osservai ansiosa.

«Nell'armadio devo avere ancora un vestito che è già un po' che volevo dar via. Non fraintendermi, è solo che me lo sono vista addosso tante di quelle volte...»

Questa poteva andare a raccontarla a qualcun'altra.

«Te lo descrivo» si sporse paziente in avanti. «Un colore stupendo, una specie di lilla scuro. E sul décolleté un inserto di strass strepitoso. Ti starà benissimo. Se vuoi te lo porto domani mattina in ufficio».

Io deglutii e mi sforzai di sembrare entusiasta. Il lilla era decisamente uno dei colori che più odiavo. E anche quell'apoteosi di strass mi inquietava non poco: non ho mai potuto sopportare quelle che se ne vanno in giro tipo specchietto per le allodole.

«Benissimo» annuii energicamente, «è molto gentile da parte tua. Allora, a domani»

Con i nervi a fior di pelle tornai alla mia scrivania. 'Come diavolo farà ad andarmi bene quel coso?' mi chiesi. 'La cara Suse mi arriva alla spalla e in compenso peserà, anche adesso dopo i miei peccati natalizi, minimo otto chili più di me, garantito'. Afferrai abbacchiata la cornetta del telefono e digitai il numero di Simone.

«Pensa un po'» aprii le cateratte, «devo andare a un ballo per via del lavoro, e naturalmente e d'obbligo l'abito da sera. La vecchia del mio capo vuole prestarmi una specie di costume da circo smesso. Dico, non è terribile?»

«Oh cavolo, non ho niente neanch'io» fu il suo commento. «Forse domani sera riusciamo a sistemarlo un po'» cercò di consolarmi.

Non avevo mai visto Simone tenere un ago in mano, ma se non altro la sua fiducia mi diede di nuovo un po' di speranza.

Il mattino seguente Suse entrò travolgente nel mio ufficio con un'espressione d'orgoglio in faccia, e annuendo solennemente seppellì sotto i suoi sacchetti i nuovi testi di Tom, che stavo leggendo in quel momento.

«Voilà» disse.

«Ah, grazie. Appena ho un attimo gli do un'occhiata, adesso sono un po' presa» feci io.

«Allora a stasera. Sette e mezzo davanti all'hotel Atlantic, okay?» mi disse stringendo gli occhi a fessura.

Io feci di sì con la testa e la guardai uscire. Mi stavo chiedendo se si sarebbe messa quell'orribile rossetto rosa anche con il tanto decantato abito 'arancio infuocato', quando suonò il telefono.

«Lano» risposi, professionale come sempre.

A parlarmi fu una voce che non riconobbi subito: «Salve, signora Lano. Sono Badon».

«Oh Gesù» mi scappò detto non appena realizzai che doveva essere il Belmondo-Kinski di Francoforte.

Lui reagì con sufficienza: «Non sono sicuro di aver capito bene che cosa ha detto, comunque volevo solo farle le mie congratulazioni».

Io allora, confusa da morire, gli chiesi: «Uh, e perché?»

Lui rise, e suonò un pochino – ma solo un pochino – più simpatico. «Avete fatto la proposta migliore, e abbiamo deciso di lavorare con la vostra agenzia. Non sono riuscito a mettermi in contatto con il suo capo, ma tanto avremo a che fare per lo più con lei, quindi posso annunciarglielo ufficialmente: non ci resta che firmare il contratto. Dobbiamo incontrarci al più presto: abbiamo davanti a noi ancora un sacco di lavoro. Ma sono convinto che ci capiremo alla perfezione».

«Ma va'?» mi scappò detto (praticamente il massimo della mancanza di professionalità).

Lui rise di nuovo. «Sicuro. Domani fisserò con il dottor Riegener il primo incontro. Per ora la saluto, ci vediamo presto» concluse.

Finalmente riuscii a ridestarmi dallo stato di trance: «Certamente, e ancora tante grazie. A presto» bofonchiai. 'Be', se non altro con questo non devo andarci al ballo. Maledizione! Mike Badon come cliente... D'altro canto, la pubblicità per orologi può venir fuori una cosa carina. Accidenti, cerca di essere professionale' mi rimproverai, e andai a portare al popolo la lieta novella.

«Hans, Tom, è andata in porto».

«In porto?» chiese Hans cadendo dalle nuvole.

«È solo un modo di dire. Insomma, possiamo stappare una bottiglia: ci siamo conquistati la campagna per gli orologi, cari i miei creativi».

«Wow, wow» gridò Tom mostrando virilmente i pugni.

«C'era da aspettarselo: quando la squadra vincente scende in campo...» aggiunse, e si esibì in un balletto che mi parve una via di mezzo tra il flamenco e la danza tradizionale bavarese.

Hans fece un largo sorriso da ragazzone, e gettò per aria i pennarelli. Poi saltò in piedi elettrizzato e mi fece girare in tondo.

«Linda, tesorino, ce l'abbiamo fatta!» mi strillò nell'orecchio.

Quando mi lasciò di nuovo sul pavimento mi girava la testa, boccheggiavo e mi pareva di avere una costola ammaccata, ma chi se ne importava. Decisi di rubare dal frigorifero del cucinino una boccia di spumante. Più tardi, ormai un po' brilla, non trovavo neanche più così terribile il pensiero di Mike Badon.

Ciò che si rivelò invece come veramente terribile fu, un'ora dopo a casa, la mia squisita *mise* per la serata. Il mio presentimento fu confermato: quella sottospecie di coso lilla era troppo corto. E troppo largo. Gli strass troppo... troppo. Mi vennero le lacrime agli occhi.

«Un perfetto spaventapasseri» frignai guardandomi nello specchio.

Simone riprese tutta la stoffa in più sulla schiena e rimase anche lei a guardarmi compassionevole. Mi girò attorno con aria critica e disse pensierosa: «Non rimane che una sola cosa da fare: devi indossarci sopra una giacca. E non devi toglierla più, altrimenti da dietro possono sbirciarti fin giù negli slip attraverso il décolleté».

E dove la vado a pescare, senza andarla a rubare?

Simone afferrò la cornetta del telefono e chiamò la nostra amica Ulrike per esporle la situazione: «Ulrike, ho qui di fronte a me una Linda infagottata in un vestito da sera che le è gigantesco. Pende da tutte le parti, ed è anche troppo corto, diciamo più midi che maxi. C'è urgente bisogno di una giacca elegante per mimetizzare il tutto. Tu non avresti qualcosa?»

Dopo aver parlottato per un po', finalmente mi sorrise annuendo. Poi agguantò la mia borsetta e mi trascinò fuori dell'appartamento, nella sua auto. Poco dopo suonavamo alla porta di Ulrike che ci aprì con già in mano una giacca di seta nera. Così combinata, Simone mi mollò di fronte all'hotel Atlantic.

Che bellezza.

Il signor margarina Domann mi venne incontro raggiante, io lo salutai raggiante, re Peter Riegener arrivò benignamente raggiante e Suse raggiunse poco dopo il nostro trio, tutta raggiante. Ebbene sì, l'aveva fatto: il rossetto rosa faceva a pugni con l'arancione del suo vestito. Sembrava un cioccolatino incartato, pensai, e le sorrisi ballonzolando raggiante nel mio vestito.

«Sei stupenda. Guarda, Peter, non trovi che Linda sia stupenda? Davvero, mi ricordi Biancaneve!» fece lei, falsa come Giuda, in preda a un attacco acuto di birignao.

Io mi limitai a sorridere, perché se avessi aperto bocca ne sarebbe senz'altro uscita una cattiveria di quelle coi fiocchi. Il complessino aveva attaccato un valzer, e io pregai con tutte le mie forze il buon Dio di non essere costretta a ballare.

Con un «Lei mi concede, bella signora?» il signor Domann mi porse galante il braccio.

«Io... hemm...» balbettai incrociando lo sguardo minaccioso di Peter.

«Ben volentieri» dissi alzandomi, e lanciai a Peter uno sguardo di fuoco. Seguii lenta il signor Domann fino in mezzo alla pista da ballo. Lui mi sorrise viscidamente mentre mi passava un braccio intorno alla vita, e mi premette contro la sua grassa pancia.

Io mi concentrai spasmodicamente sull'un-due-tre, ma il signor Domann evidentemente voleva stupirmi facendo l'originale, e si mise a ballare il valzer come fosse un fox-trot. Così gli pestai immediatamente due volte di seguito le scarpe lucide di vernice. La cosa dovette levargli la voglia di ballare. Mentre anche Peter e il suo cioccolatino incartato facevano il loro ingresso in pista, io e il signor Domann ce ne tornammo al tavolo accarezzando con lo sguardo quel pubblico di arricchiti. Stavo iniziando a sudare leggermente sotto la giacca di seta, ma di toglierla non se ne parlava neanche. Per fortuna che ci pensava il signor Domann a rinfrescarmi sotto la doccia di sputacchi con cui mi inondò giulivo. Mi fece un solenne giuramento:

«Allora, cara la mia 'gnorina Lano» iniziò, e io subito lo interruppi.

«Signora, prego».

«Cosa? Ah, come vuole lei. Insomma, signora Lano, ci giuro su quello che vuole lei che questa sera da queste labbra non uscirà neanche una volta la parola 'margarina'. È contenta?»

Gli sorrisi gentile e replicai piena di charme: «Del resto siam qui per divertirci, e non per lavoro, non è vero signor Domann?»

Quando mi ritrovai la sua mano sul ginocchio fasciato di lilla realizzai che purtroppo doveva avermi fraintesa. Non rimaneva che il consueto piano B. Dopo aver ritratto con forza il ginocchio dai suoi artigli fingendo di muovere la gamba trascinata dal ritmo, attaccai dunque con la strategia del 'lei è un uomo e io ho bisogno del suo consiglio', e gli raccontai del mio 'amico'.

«Ah, signor Domann, lei che è sempre tanto comprensivo forse mi può dare un buon consiglio su un problema che mi sta molto a cuore. Vede, si tratta del mio fidanzato. È così geloso! E io non so più cosa fare. Pensi che adesso si è addirittura comprato uno di quei grossi cani da combattimento!» Gli gettai uno sguardo pieno di cruccio coi miei occhioni azzurri.

Il signor Domann ripeté costernato: «Cane da combattimento?»

«Sì, avrà visto quelle pericolosissime belve a pelo bianco, tutte muscoli, quelle che sembrano dei maiali con la dentatura da squalo...» gli spiegai.

Peter si avvicinò a noi insieme a Suse proprio mentre pronunciavo la parola 'maiali', e mi affrettai a cambiare argomento.

Quando, poco dopo mezzanotte, il signor Domann mi accompagnò al taxi, mi fece l'occhiolino con aria complice e mi disse: «Coraggio, vedrà che tutto si risolverà per il meglio con il suo amico, signorina Lano. E... – ma non ce l'avevo ancora detto? – stasera lei assomiglia proprio a Biancaneve!»

A casa sentii molto la mancanza dei sette nani, i quali avrebbero potuto aiutarmi a rassettare l'appartamento, che mostrava di averne bisogno con urgenza. Ripensando al numero del cane da combattimento non mi sembrò mica male, e decisi che alla prima occasione l'avrei perfezionato.

Il turboeffetto

«E su la gamba, e ancora su. Sì, dritta, e piegare, dritta, e piegare, dritta e... ferme su così» mi intimava la cassetta di aerobica.

Rimasi irrigidita di fronte all'impianto stereo, con la gamba alzata in una posa da cicogna, come una cretina.

'Lo sport uccide' pensai cercando spasmodicamente di mantenere l'equilibrio. La fascia con i pesi stretta attorno alle caviglie trascinava intanto senza pietà la gamba verso il basso.

'Be', è l'effetto della forza di gravità' cercai di consolarmi non appena fui di nuovo sui due piedi. Ansimando proseguii con la tortura, cercai prima di trasformarmi in una donna serpente e poi di balzellare per il soggiorno a mo' di pallina da ping pong.

'Saranno contenti quelli del piano di sotto' pensai continuando a denti stretti. 'Pensino pure che mi sono trasformata in un elefante trampoliere!' Nulla avrebbe potuto frenarmi sul mio cammino verso una linea da silfide. Quando la tortura ebbe fine, mi afflosciai su me stessa.

«Proprio attraente» dissi a me stessa vedendomi riflessa nello specchio del bagno. Ero proprio io quella faccia gonfia, rossa come un tacchino, su cui ballavano lentiggini e gocce di sudore? Mi misi in punta di piedi per osservare le forme al di sotto della vita.

«Be', signorina, va già meglio, ma c'è ancora qualcosina da fare» stabilii.

Con le ginocchia molli entrai nella doccia e lasciai scorrere l'acqua su di me. 'Ah, che goduria!' Passai subito alla spazzola per i massaggi, attaccando diligente pancia, sedere e cosce. 'Almeno non facesse così male!' Alleviai il bruciore della pelle strapazzata con un dolce e profumato gel da doccia, tornando poi subito a godermi il tepore dell'acqua scrosciante.

Pensai a quello che mi aspettava quel giorno. «Che casino!» aveva sbottato di collera Peter qualche giorno prima facendo un giro di controllo per gli uffici. Sembrava un toro infuriato chiuso nel recinto.

«Ne ho fin sopra i capelli: questo porcile va ripulito. Karl, fai venire un container per l'immondizia, lo voglio per sabato. E vi voglio qua tutti ad aiutare, a spalar fuori 'sta... confusione. Non voglio più vedere tutte queste cianfrusaglie, né quei vasi di piante rinsecchite. Fuori, fuori tutto: via!» gridò battendo minaccioso il pugno su un tavolo.

'Gli prenderà un infarto, al ragazzo' pensai vedendolo andar fuori di testa a quel modo. Naturale conseguenza della tirata fu una circolare interna dal tono minatorio in cui si intimava 'a tutti i dipendenti' di presentarsi sabato mattina all'appello. Bello schifo!

Ma il top era che Peter aveva fissato il nostro primo incontro di lavoro con Mike Badon proprio per quello stesso pomeriggio di sabato.

«Il tempo stringe, bisogna sacrificarsi tutti un po'». Fu con questa frase da *pater familias* che Peter aveva cercato di farmi andar giù il boccone. Di certo la cosa non rappresentava un problema per lui, dal momento che non era certo entusiasta all'idea di passare il sabato a casa con la sua vecchia, ma io, io avevo sicuramente di meglio da fare!

Be', e questo non era mica il telefono, adesso?

Proprio, e non la smetteva di suonare! Uscii grondante dalla doccia lasciandomi dietro una ragguardevole scia di acqua sulla moquette mentre mi precipitavo all'apparecchio.

«Buongiorno, dolcezza» mi disse tutta allegra la mia cara sorellina.

«Maledizione, sto sgocciolando dappertutto! Aspetta un attimo» le risposi senza fiato, e mi procurai un paio di asciugamani.

«Mi stai ascoltando?»

«Be' non mi resta molto da fare, dopo che mi hai tirata fuori dalla doccia» le dissi scontrosa, cercando di asciugarmi alla meglio con una mano sola.

«Prova a indovinare, è successa una cosa pazzesca».

Mi sbagliavo, o la voce di Baba aveva un tono nuovo, diverso dal solito?

«Me l'ha chiesto» continuò lei.

«Chi ti ha chiesto cosa?»

«Ma Bernd, naturalmente». La sentii prendere un gran respiro: «Ha chiesto la mia mano!»

Non potevo credere alle mie orecchie. Questa sì che era una notizia. Suonava tanto di amore e romanticismo, di quella cosa fantastica e meravigliosa che io a scanso di equivoci avevo rimandato a data da destinarsi. Adesso l'eccitazione di Baba si impossessò anche di me.

«E tu cosa gli hai risposto?»

«Sì, cosa volevi che gli dicessi, scusa? Credo che con questo sono ufficialmente fidanzata, o no?» ridacchiò Baba.

«Credo proprio» confermai, mentre mi passavano davanti agli occhi immagini meravigliosamente kitsch di anelli d'oro, bouquet di fiori e vaporosi abiti da sposa. Ne era valsa la pena di fare quella volata fuori dalla doccia: il mio cuore si ricolmò di un romanticismo selvaggio.

«Piccola, sono così contenta per te. E Bernd è veramente un tipo coi fiocchi. Avete la mia benedizione. Dimmi un po', si è davvero inginocchiato e tutto il resto, come nei film, voglio dire?» chiesi.

«Ma va'» rispose Baba disincantata. «Tu e i tuoi sogni da Barbara Cartland! Però mi ha abbracciata, e anche con la dichiarazione non se l'è cavata tanto male».

Sospirai. Forse c'era ancora speranza a questo mondo.

«Chissà se a me capiterà mai?» mi scappò detto.

«Vedrai che prima o poi ti sposerai anche tu» rise Baba tutta contenta.

Guardai l'orologio. Considerato che mi trovavo ancora in costume da Venere che sorge dalle acque, era il caso che mi dessi una mossa.

«Baba, devo volare. Vorrei che fossi qui per poterti coccolare a dovere: questo sì che è stato un bel colpo, di prima mattina! Ma ora ti devo lasciare, salutami tanto mio cognato» troncai la nostra telefonata.

Ancora sognante, caricai la macchinetta per l'espresso e tornai in bagno a mettermi la crema, canticchiando a labbra chiuse. Mia sorella si sposava, roba da non crederci. Dimenticai le mie afflizioni: questa sarebbe stata una splendida giornata. Sentii con una certa irritazione il fischio sommesso della macchina del caffè, che sembrava diverso dal solito. «Oh, no!» strillai mettendo piede in cucina.

Un disastro. Che incubo!

Mi passai la mano nei capelli chiedendomi come poteva essere accaduta una cosa del genere. Elementare, Watson: evidentemente non avevo avvitato bene il filtro della macchina. La tazzina era vuota, in compenso l'intera cucina era ricoperta di un sottile strato di polvere fradicia di caffè.

«Turbocompressione» era stato questo termine altisonante a convincermi all'atto dell'acquisto. E devo dire che il caffè era effettivamente turbinato per tutta la cucina. Gocciolava a grumi dalla maniglia del frigorifero, era andato a spiaccicarsi in una chiazza umidiccia sulla parete opposta e aveva ricoperto tutte le stoviglie appena lavate con una sottile pellicola uniforme.

'Non è successo niente' cercai di convincermi chiudendo con rassegnazione la porta della cucina alle mie spalle. Una splendida giornata, avevo appena finito di dire? Non ci avrei giurato!

Avanti, dentro i vestiti e via! Già, ma quali vestiti? Gli abiti da ufficio non sarebbero stati adatti alla giornata di pulizie, ma un completo da tempo libero non si addiceva all'incombente incontro d'affari. Non rimaneva che la classica via di mezzo: una blusa di seta su un paio di jeans. Con grandissimo orgoglio chiusi la cerniera dei pantaloni aderentissimi. Be', dieta e aerobica iniziavano a fare il loro effetto. Con circospezione feci una prova di seduta, e i jeans superarono il test. Il mio umore si risollevò.

«Via 'sta roba» sentii gridare Peter entrando all'agenzia.

«No, mi servono ancora» implorò Hans gettandosi a braccia larghe su una montagna di riviste, per proteggerle.

Superai lo studio cercando di non finire in mezzo al tiro incrociato. Nel mio ufficio trovai la mia segretaria Anni tutta spaesata.

«Ciao, Linda. Credi che noi abbiamo qualcosa che possiamo buttar via?»

«Iniziamo a portare le due annate più vecchie di documenti nell'archivio che sta in cantina. Basterà quello a far sembrare l'ufficio più ordinato» le risposi.

«Accidenti, se pesa» sbuffò Anni mentre assolvevamo i nostri viaggi di sgombero cariche come due asini da soma. Una volta in cantina, ripartimmo ordinatamente i vari documenti nei raccoglitori, facendo attenzione a sporcarci il meno possibile.

Improvvisamente Anni mi passò davanti correndo a razzo, e si precipitò urlante su per le scale. Quando la ritrovai in ufficio, era lì che mi fissava tremando come una foglia. Si teneva la gola stretta in una mano e balbettava senza fermarsi: «Un ragno, un ragno».

Alla faccia della fobia! Mentre Anni cercava di tornare in sé, io continuai i miei viaggi su e giù. Da sola.

«Mal comune mezzo gaudio» sospirò la nostra capo contabile portando con occhio triste al container un vasetto di primule e il suo coprivaso preferito.

«Se solo a casa avessi un filo in più di posto, me lo porterei via. Ma mio marito mi ha solennemente vietato di presentarmi a casa stasera con roba del genere. È un delitto!» decretò vedendo scomparire nelle profondità del container anche il suo amato ficus.

Peter si aggirava per l'agenzia fregandosi le mani. Più il container si riempiva, più lui sembrava soddisfatto.

«Allora, Peter, lei il suo ufficio l'ha già ripulito?» chiesi io con finta innocenza dopo che lui ebbe ispezionato la mia stanza.

«Da me è sempre tutto in ordine» replicò con forza.

«Ma davvero? Non vogliamo proprio separarci dalla barchetta a vela sul davanzale? O dalla vecchia pipa che sta sulla scrivania, visto che tanto, non fumando...» lo stuzzicai, e soffiai via la polvere dal fornello della pipa.

Mi guardò a disagio, e per un attimo mostrò sul volto un'espressione da ragazzo che non mi sarei aspettata di vedere più in un uomo della sua età e posizione.

«Vedi» mi disse, «ci sono così attaccato».

Dovetti ridere alla vista della sua espressione colpevole. «Okay, allora forse è meglio prepararci per il nostro incontro, d'accordo?»

Peter annuì sollevato.

Caffè, tè, succhi di frutta e acqua erano già pronti. Allargai sul tavolo alcune copie del nostro piano di lavoro. Testi e illustrazioni erano disposti ordinatamente. Tutto a posto. Dovevo solo rimettermi un po' in sesto, visto che il mio contributo di manovalanza aveva lasciato qualche traccia, soprattutto su fronte e naso, come stabilii con un'occhiata critica allo specchio. Un velo di cipria e il danno fu rimediato. Con movimenti sapienti passai poi un po' di rosso sugli zigomi. Dove diavolo era andato a ficcarsi il rossetto, adesso? Ah, ecco. E ora il tocco finale: reggendo in mano lo specchietto da borsetta tirai per benino le labbra in fuori. Un'occhiata d'insieme... e dallo specchio mi fissò un secondo paio d'occhi. Mi voltai di scatto ritrovandomi davanti Mike Badon.

«Oh» dissi confusa, reggendo nella mano destra il rossetto e lo specchietto nella sinistra. Mi resi conto che stavo diventando irrimediabilmente rossa in faccia.

«Buongiorno, signora Lano» mi salutò lui porgendomi la mano tesa.

Buttai in fretta i miei attrezzi di bellezza nella borsetta e gliela strinsi, scuotendola poi diligentemente.

«Benvenuto. È un piacere rivederla» mentii riacquistando lentamente il controllo.

«Anche per me è un piacere poter finalmente visitare di persona la vostra agenzia. Il signor Riegener mi aveva avvertito che stamane da voi sarebbe stato giorno di grandi pulizie, ma ci siamo tuttavia trovati d'accordo nel voler iniziare oggi stesso con il lavoro. E già che si deve incominciare, trovo carino che lo si possa fare nell'atmosfera rilassata del fine settimana. Lei no?» disse Mike Badon.

Chi diavolo era rilassato, qui? Lui, evidentemente. Diedi un'occhiata rapida ai suoi vestiti casual. Un paio di jeans (Levi's, naturalmente) e un pullover che mi puzzava maledettamente di cachemire. Mi rifugiai nelle buone maniere.

«Ma certo, un'idea eccellente. Posso offrirle un caffè, tanto per incominciare?»

«Ben volentieri» rispose lui.

Afferrai con grande impegno il termos e mi raccomandai di versare piano piano. Non ci sarebbe stato nulla di più stupido, ora, che allagare il tavolo in preda a un impeto di troppo energico entusiasmo. Brava, così. Mentre gli porgevo la tazza, sperai che fosse sufficientemente gentleman da non farsi scappare alcun commento sul tremolante tintinnio del cucchiaino contro il piattino.

Per fortuna arrivò Peter a salvare la situazione. «Ah, ecco il nostro ospite» proruppe nel tono con cui era solito cercare di trasmettere il suo potente ottimismo.

Poi arrivarono anche Hans e Tom, e ci sedemmo tutti. O meglio, io dovetti subito alzarmi per occuparmi dei rinfreschi. Sempre la solita storia, quando non c'è in giro una segretaria e gli uomini hanno sete. Eccomi trasformata nell'allegra servetta. Mentre facevo il giro attorno al tavolo, notai che ognuno degli uomini lasciò cadere gli occhi sul mio didietro. Fui grata a me stessa per ogni grammo che negli ultimi giorni ero riuscita a perdere mettendomi disciplinatamente a stecchetto.

Peter disse qualche parola introduttiva e poi mi passò la palla.

Mentre snocciolavo uno dopo l'altro tutti i punti salienti del nostro piano di lavoro, pensai a quanto la mia rutilante professione potesse essere ripetitiva e noiosa.

Mike Badon mi stette a sentire attento, e alla fine fece una domanda molto concreta: «Dove gireremo il filmato?»

Peter spiegò che avevamo già prenotato uno studio di Amburgo, che si era già pensato a un regista e che si trattava di scegliere solo la modella. Avevo passato al vaglio io insieme a Hans diversi book di varie modelle, e alla fine avevamo ridotto la scelta a due ragazze: una mora dalla pelle ambrata o, in alternativa, una bella biondina che a me non convinceva del tutto. «Perché sei una mora anche tu, è chiaro» aveva sentenziato Hans.

Dal momento che ancora una volta non ci trovavamo d'accordo, lasciammo la decisione finale a Mike Badon.

«La bionda» disse battendo con l'indice sulla foto. «Ha una personalità più interessante».

Corrugai la fronte e decisi, andando contro quelle che erano le mie abitudini, di tenere eccezionalmente il becco chiuso.

«Si inizia a girare tra dieci giorni» lo informai, e lui annuì.

«Bene, ci sarò almeno per il primo giorno delle riprese» disse alzandosi.

«Linda, ci pensi tu ad accompagnare all'uscita il signor Badon?» mi invitò Peter dopo i saluti.

Come no, per me era un tale piacere! Porsi cortesemente la mano a Mike Badon, che sorrise e disse: «Me l'ero immaginato, che non avrebbe mantenuto la promessa».

Lo guardai infastidita: «Quale promessa?»

«Non voleva mostrarmi al nostro primo incontro di lavoro una piccola rappresentanza della sua biancheria, per meglio illustrare le ultime tendenze in fatto di moda intima?» chiese.

Io mi passai una mano tra i capelli e risposi sfrontata: «Venga sul set per le riprese, e potrà vedere tutto dal vivo, direttamente sul corpo della modella. Non trova che sia meglio?»

Lui fece una risata da macho disgustosamente arrogante, si inchinò appena e si allontanò a passi leggeri verso la sua auto. Non è fantastico il modo in cui gli uomini riescono a essere così sovrani mentre io mi sento una perfetta imbecille?

«L'incontro è andato benone» disse Peter pieno di sé mentre raccoglievo tutte le carte sparse sul tavolo.

«Sì, niente male. Cosa ne pensa di quel Badon?» volli sapere.

Peter annuì riflessivo e disse: «Una persona piacevolissima. Ha tutte le carte in regola per diventare il nostro cliente preferito».

'Be', di certo non il mio' pensai, e spensi la luce della sala riunioni.

Decisi che mi sarei fatta quanto prima tirar su il morale dalle mie amiche, e non avrei liberato la cucina dal caffè prima di domenica.

L'annuncio

Tre scampanellate. Questo era il codice, quando Simone, Ulrike e io ci facevamo visita. Sperai solo che Ulrike fosse davvero a casa.

«Oh, brava. Simone è già qui da mezz'ora» mi accolse Ulrike lasciandomi uno sbaffo di rossetto su entrambe le guance. Splendido: lume di candela, bella musica e la bottiglia di prosecco già stappata promettevano una piacevole serata tra amiche.

Simone mi sommerse immediatamente con i suoi racconti: «Immaginati un po', Linda: dopo che sono rimasta a fissare il telefono per cinque settimane senza alcun risultato, oggi pomeriggio chi mi telefona? L'Andreas, come se niente fosse. Così, tanto per sapere come mi va la vita».

Sogghignai: questi uomini! Rieccoci di nuovo al nostro argomento preferito.

«E tu cosa gli hai detto?» chiesi incuriosita.

«Be', il primo impulso è stato di riagganciare immediatamente. Ma mi ha presa così in contropiede che sono stata addirittura super gentile con lui, e abbiamo fatto una bella chiacchierata. Dio, se solo non avesse quell'incredibile voce, al telefono... Per tutto il tempo mi sono chiesta se prima della fine della telefonata mi avrebbe chiesto di uscire con lui, che so io, a cena o roba del genere. E invece lui a un certo punto mi fa, piatto piatto: 'Allora ci sentiamo alla prossima'. Sì, forse la prossima volta che gli viene un'urgenza come l'ultima volta! Lì mi ha baciata in un modo che mi son venuti gli occhi storti e poi mi ha sbattuta direttamente sul letto. Dio, che rabbia! E adesso cosa faccio? Non ho più un briciolo di voglia di passare le mie giornate ad aspettare in adorazione del telefono».

Ulrike commentò laconica: «Dimenticalo e stop. E adesso: 'cin cin'».

Brindammo facendo scontrare gentilmente i bicchieri. Ah, che bellezza!

«Ho un'idea» dissi, e le altre due mi fissarono pendendo dalle mie labbra. «Visto che tanto non puoi averlo, non è giusto che soffra un pochino anche lui? Che ne dite se facessimo una bambola di cera, la battezzassimo Andreas e la trapassassimo lentissimamente con degli aghi lunghi e grossi?»

Anche Simone scoppiò a ridere: «Certo, un bel rito vudù non sarebbe mica male. Vedrò di procurarmi qualche libro in proposito, e poi faremo delle sedute di prova, okay?»

Ulrike, che ci faceva da disc-jockey, ci allietò allora con *The winner takes it all* degli Abba, e ci mettemmo a cantare insieme al disco. Mentre mi piegavo sul pacchetto per pescare una sigaretta mi venne un grande sbadiglio.

«Stanca?» chiese Ulrike compassionevole.

«No, è solo l'acido lattico accumulato con la sana attività fisica di stamattina» spiegai.

«E com'è andata oggi col tuo Mike?» mi chiese Simone *en passant*.

«Con il *mio* Mike?» ripetei indignata. «Quello ha avuto la faccia tosta di ritirare in ballo la storia della biancheria intima. Roba da matti!»

«Be', ha il senso dell'umorismo!» ribatté Ulrike che si ricordava ancora del mio dettagliato rapporto sul primo incontro a Francoforte. «E com'è fisicamente?» si informò.

«Non male, a pensarci bene. Un tipo macho. Sono sicura che lui si trova irresistibile» riflettei. «Ma non parlatemi più di lui, per oggi: ho già raggiunto il punto di saturazione. Piuttosto, mia sorella si sposa col suo Bernd. Non è sensazionale?»

Simone soffiò.

Ulrike si mise improvvisamente a sedere tutta diritta, mi guardò negli occhi e disse: «Ma io ho qualcosa di speciale in serbo anche per te, cara la mia Linda. Un uomo che cerca una donna colta e intelligente. E ci salta fuori anche un invito nei Caraibi».

«Cooosa?» la guardai incredula. «E dove sei andata a pescarlo?»

«In un annuncio sul giornale. Rubrica matrimoniale. Ecco: guarda coi tuoi occhi» estrasse l'edizione di sabato del giornale della sera.

Simone lo afferrò immediatamente e prese a leggere a caso gli annunci ad alta voce. «'La donna dei miei sogni è bella, alta...' O questo: 'Mi piacciono soprattutto cosce e capelli lunghi...' Ah, questo è il massimo: 'Se sei eccitante, eccitabile ed eccitata...' Che roba! Oh, ma gli uomini hanno davvero il cervello in mezzo alle gambe?» si arrabbiò.

Ulrike le strappò di mano il giornale spazientita. «Proprio questo è il punto. Scrivono delle idiozie così superficiali che l'unico testo interessante salta subito all'occhio. State a sentire: 'Signore sportivo e colto cerca compagnia femminile dalle medesime caratteristiche. Una donna che abbia stile e che sappia portare con la stessa naturalezza un abito da sera o jeans e maglietta. Per poterci conoscere meglio, offro una vacanza da fare assieme. I Caraibi vanno bene? In verità non avrei bisogno di ricorrere a un annuncio, ma tentar non nuoce...' Allora, che ve ne pare?» ci chiese Ulrike trionfante.

«Signore sportivo e colto» riflettei ad alta voce, «non suona mica male. Ma siamo serie: sono davvero ridotta così male da dover ricorrere agli annunci matrimoniali?»

Simone rise: «Se continui a lavorare così tanto ti rimarrà solo la possibilità di sedurre il tuo capo, ma lui ha almeno trent'anni di troppo, e poi è già sposato. Quanto agli altri tuoi colleghi, sono un tantino troppo poco seri, o già impegnati. Decidi tu: o aspetti che l'uomo dei tuoi sogni venga a schiantarsi con la sua macchina contro il tuo catorcio, o attacchi bottone con il primo bel tenebroso che trovi facendo la spesa in fretta e furia il sabato mattina al supermercato, o rispondi a quest'annuncio».

«Bella scelta» mormorai.

«Ti manca il fegato» mi provocò Ulrike.

Sapevo benissimo che quell'affermazione non era che uno sporco trucco, ma da perfetta rappresentante dell'ariete non potevo mandar giù una cosa del genere.

«Non ha niente a che vedere col fegato» protestai.

Simone chiese maliziosa: «Ah nooo, e con che cosa, allora?»

«Insomma, io sono giovane, bella e realizzata. Ci dovrà pur essere un altro modo» cercai di ribellarmi.

«Ma sicuro, Linda» sogghignò Ulrike, «vorrà dire che per i prossimi anni andrai a letto con il tuo successo. Certo, forse le videocassette dei film pubblicitari che realizzerai saranno un tantino spigolose, però...»

«Ma ce l'avete con me, oggi?» dissi dando un'altra rapida scorsa al testo dell'annuncio.

«Abbocca, abbocca» sussurrò Ulrike che mi osservava con attenzione.

Simone prese in mano la situazione: «Fuori blocco e penna: adesso studiamo assieme una lettera di risposta» ordinò perentoria.

Ulrike recuperò in fretta il necessario, e incinciammo. Mi toccava pure dar fondo alle mie doti di creativa!

«Come si inizia una lettera del genere? 'Buongiorno, Signor Estraneo'? 'Caro Ignoto'?» chiesi.

Le ragazze ridacchiarono.

Ulrike intonò: «*Strangers in the night...*»

«Non fare la scema. Un neutrale 'Ciao, sconosciuto' andrà benissimo» decisi. E poi iniziai a snocciolare pian piano le prime frasi, che Simone annotava diligentemente.

«Devi dire qualcosa anche sul tuo aspetto» stabilì con determinazione Ulrike.

«Non so, mi sento stupida...» esitai.

«Sciocchezze: sai benissimo con cosa ragionano gli uomini!» alluse Simone, e dettò una lusinghiera descrizione delle mie caratteristiche esteriori. Presa dall'agitazione, bevvi un altro sorso di prosecco e mi lasciai solleticare dalle bollicine.

«Voi siete matte come due cavalle! Chissà come andrà a finire...» risi quando il nostro capolavoro fu terminato.

Mentre uscivo, Ulrike mi diede un ultimo consiglio: «Ora non ti manca che fare un po' di esercizio di bella calligrafia a casa. Ma non scriverla troppo per benino: concediti qualche svolazzo impulsivo, okay?»

Ebbene, Simone e Ulrike l'avevano avuta vinta. Lunedì mattina ero lì che scrivevo l'indirizzo del fermo posta sulla busta, che imbucai sulla via per l'ufficio.

L'azione di sgombero si era dimostrata effettivamente un successo: l'agenzia era uno specchio. Zoppicando, mi venne incontro Hans.

«Cosa ti è successo?» gli chiesi preoccupata.

«Vuoi la versione ufficiale o quella ufficiosa?» mi disse scontroso.

«Tutt'e due».

«Ho esagerato con lo squash» disse facendomi l'occhiolino.

«E cosa è successo veramente?» volli sapere.

Si piegò verso di me e mi confidò: «C'era questa donna bellissima, è da un pezzo che le stavo dietro, capisci? E ieri sera sono finalmente riuscito a farla salire da me. Ma proprio nel momento in cui ero praticamente accecato dal... dalla... insomma, stavo per saltarle addosso quando mi è venuto tra i piedi Paolino. Il gatto. Sono finito lungo disteso sul pavimento e mi sono preso uno strappo alla schiena. Il colpo della strega. Un successone, in realtà, perché lei si è sentita subito in dovere di consolarmi, tu mi capisci».

Scoppiai a ridere: «Capisco, capisco. Che dritto!»

«E tu che hai fatto di bello?» chiese lui.

«Ho pulito come una pazza. La mia cucina ne aveva bisogno».

Purtroppo il telefono interruppe il mio racconto, e dovetti rimandare la storia del turboeffetto della macchina per l'espresso fino all'ora di pausa.

Il signor Margarina-Domann esordì con le parole: «Buongiorno, bella signora. Quand'è che ci rivediamo?»

Uffa! La storia del cane da combattimento non doveva averlo impressionato granché.

«Verso la fine della settimana, signor Domann. Il dottor Riegener e io le sottoporremo altri slogan, d'accordo?»

«Bene, bene» fece lui. «Tra l'altro, mi è venuta in mente una cosa. Lo sa, in gioventù io scrivevo delle poesie, e così ho pensato che forse potevo darvi una mano con una bella rima».

Chissà se una volta nella vita riuscirò ad avere un cliente che non si senta in dovere di riversare nel vasto mondo della réclame i suoi afflati lirici.

«Che cosa le ha ispirato di bello la sua margarina?» gli chiesi cauta.

«Allora, stia bene a sentire: 'Uno, due, tre, la merenda è qui per te'. E le immagini mostrano una donna che spalma su un panino uno spesso strato di margarina per il figlio. Che ne dice, eh?» chiese impaziente.

Mi sentii crollare dentro, ma decisi di non tradire in alcun modo le mie emozioni.

«Sì, ho preso nota, signor Domann. Venerdì avremo modo di discutere insieme tutte le proposte e prenderemo una decisione di comune accordo, va bene?»

Neanche cinque minuti dopo, il nostro copy Tom, a cui avevo raccontato le ultime elucubrazioni poetiche del giovane Domann, era letteralmente finito sotto il tavolo dal ridere.

«'La merenda è qui per te'! Non riesco a immaginarmi niente di più idiota» sghignazzò. «Se può interessare, anch'io avrei una prozia che sa parlare in rima...»

«Scherzi a parte, quando mi fai avere le tue proposte?» gli chiesi. «Non vorrai mica arrivare all'ultimo momento come al solito, eh?»

Tom si accarezzò prima la testa e poi il computer, sul cui schermo era aperto il solitario.

«Quassù il motore sta già girando a pieno regime. Tra breve le mie mani d'autore scivoleranno leggere sulla tastiera di questo computer e metteranno in fila delle lettere in una geniale sequenza».

Alzai gli occhi al cielo e squadrai la mia star del copyright. «Cosa vuoi essere, Tom? Il primo chiodo della mia bara? L'attestato di garanzia della mia prima ulcera?»

Tom sorrise, trascinò con il cursore del mouse la donna di cuori sul re di picche e rispose: «Lo sai com'è, Linda: le cose fatte bene richiedono tempo».

Hans si avvicinò a noi e mi tamburellò sulla spalla. «Tu sei la donna più speciale che conosco. Su di te si può sempre contare, e in brutti tempi come questi avere un amico fidato è una vera fortuna. Una persona con cui condividere la buona come la cattiva sorte...»

Interruppi la sua sbrodolata: «Che cosa vuoi da me, Hans? Sputa l'osso».

«Vedi, il mio gatto Paolino non sopporta gli aeroplani, e io andrò presto qualche giorno in vacanza. Mi stavo chiedendo a chi avrei potuto affidare questo tenero micetto, e tu sei stata l'unica che mi è venuta in mente» disse con il cuore in mano, sgranando tanto d'occhioni.

«E dove te ne vai di bello?» cercai di guadagnare tempo.

«A Bali» rispose felice. «Non ti preoccupare: lo porto io da te, con il cibo e tutto quanto».

Naturalmente non menzionò la cassettina per i bisogni, con la quale avrei dovuto senz'altro fare i conti. Ma non riuscii a dire di no. E va bene: Bali per Hans e sabbietta sporca per Linda. Come li amo, i miei cari colleghi!

Lo stradario

Il giorno delle riprese si faceva sempre più vicino. Il vecchio Karl ci annunciò che il preventivo era stato finalmente accettato, e Hans e io passammo ancora una volta alla verifica il piano di lavoro.

«Ho appena dato un'occhiata alla nostra modella. Roba di prima classe, ti dico. Si chiama Anita» fece Hans tutto entusiasta.

Karl passò per la decima volta in rassegna le foto, con avidità. Davanti a quel ben di dio di gioventù gli sarà venuta l'acquolina in bocca, al vecchio satiro.

Io cercavo di perder tempo, perché avrei dovuto telefonare a Mike Badon per metterci d'accordo su quando sarebbe dovuto arrivare. Alla fine presi il coraggio a due mani e lo chiamai.

«Buongiorno, signor Badon, parla Lano. Abbiamo organizzato tutto, martedì iniziano le riprese. Quando pensa di venire?» chiesi.

«Parto il mattino stesso con il primo volo. Così oltre a dare un'occhiata al set possiamo approfittarne per iniziare a discutere della fiera» propose.

«Molto volentieri. Qualcuno dell'agenzia verrà a prenderla all'aeroporto. Ci vediamo martedì, allora».

«Benissimo, non vedo l'ora» concluse lui.

Be', quando voleva sapeva essere davvero piacevole, o no? Mentre ci rimuginavo sopra arrivò da me Peter, il boss.

«Ti sei già messa d'accordo per andare a prendere Badon?» chiese.

«Io?» chiesi annichilita, e mi vidi plasticamente davanti agli occhi le bolle di ruggine della mia macchinina.

«Certo, tu. Mai sentito parlare di 'assistenza al cliente'?» fece in tono ironico.

«Sì, mi pare di aver già sentito qualcosa di simile. Resta il fatto che non sono uno chauffeur. E poi lei ha presente l'ammasso di rottami che è la mia auto?» protestai.

«Puoi prendere il BMW di Karl, se vuoi».

Ci mancava solo questa: la macchina di Karl aveva le marce. I miei amici stanno male dal ridere ogni qualvolta sentono il tono terrorizzato con cui pronuncio la parola 'marce'. Il fatto è che nonostante le mie indiscusse capacità manageriali appartengo a quella minoranza che, quanto a motori, ringrazia il cielo se non altro per la geniale invenzione del cambio automatico. Una debolezza di cui naturalmente non avrei mai e poi mai fatto parola con il mio capo.

«Oh, lui è così geloso del suo transatlantico» mi arrampicai sugli specchi. «Preferisco prendere la mia, piuttosto».

Per Peter la cosa era finita lì. Per me era incominciato l'incubo. Guidare male era il mio primo handicap. Il secondo era che perdo in continuazione l'orientamento. Quando eravamo insieme, Ulrike non faceva che alzare di continuo gli occhi al cielo ogni volta che mi vedeva dirigermi con sicurezza nella direzione sbagliata: in città, in un edificio, persino in un appartamento. Quante volte mi era successo a casa di amici di aprire interdetta la porta di uno sgabuzzino invece di prendere la via del bagno, che pure avrei dovuto ormai conoscere. La frase 'dove diavolo stai andando?' mi era ormai tanto familiare quanto il consiglio di mia sorella di spargere dietro di me una pista di chicchi di riso ogni volta che mi allontano da casa per più di cento metri, così da avere almeno una piccola chance di ritrovare la strada. Peter mi avrebbe sicuramente ridotta in polpette se avessi coinvolto Mike Badon in giri viziosi attraverso non meglio identificati quartieri periferici, invece di portarlo con sicurezza alla meta. E chi ha voglia di diventare una polpetta?

Così il venerdì sera mi ritrovai davanti alla macchina delle fotocopie, a cercare di ingrandire con gran fatica alcune parti della scomodissima piantina pieghevole della città. Avevo infatti deciso di vincere la mia tara con la forza dell'intelletto. China sulle pagine fotocopiate, estrassi dal cassetto della scrivania una manciata di evidenziatori. Per prima cosa individuai i punti nevralgici: marcai il mio appartamento (dopotutto, quello era il punto di partenza), e poi l'aeroporto, l'agenzia, e il teatro di posa. Vedendo Hans che si avvicinava, nascosi in fretta e furia le mie attività segrete.

«E non ti scordare: domenica passo da te con Paolino. Così per un'intera settimana ogni mattina potrai dire di esserti svegliata con qualcuno accanto» sghignazzò. Molto divertente, il caro collega.

Dopo un sabato passato a oziare dolcemente, la domenica mi svegliai con le farfalle nello stomaco: era giunto il momento di partire alla conquista delle strade di Amburgo, seppure con la mia vecchia carretta e il collo un po' indolenzito (che mi fossi presa uno strappo?).

Un indiano non conosce il dolore, pensai, e subito dopo lanciai uno strillo acuto: non sarei mai potuta diventare una squaw come si deve. Forse gli farebbe bene un po' di caldo, sperai avvolgendomi intorno alla gola una spessa sciarpona.

E ora, concentrazione assoluta: per prima cosa, all'aeroporto. Non doveva essere troppo difficile: in fin dei conti avevo fatto quel tragitto dozzine di volte con il taxi. Guidare la domenica mattina era un piacere, con le strade deserte. Arrivai all'aeroporto tutta orgogliosa, e decisi di andare dritta dritta all'agenzia. Di fianco a me stava dispiegata la fotocopia con il tragitto ben marcato.

Esatto, ora a destra. Maledizione, la logica della viabilità mi aveva giocato un brutto scherzo: divieto di svolta. Fa lo stesso, andrà bene anche la prossima a destra. Vietata anche questa? Oddio, e adesso dove sono?

«Tipico!» mi arrabbiai ad alta voce. Se avessi potuto

girare dove volevo, a quest'ora sarei già arrivata. E invece, ancora avanti... La strada si faceva sempre più larga. Cinque corsie in pieno centro, che spreco! Quando scorsi un cartello blu di quelli dell'autostrada con la scritta 'Lubecca' venni colta dal panico.

'Tutto meno che l'autostrada! Calma: cerchiamo di orientarci' mi fulminò per la testa mentre mi mettevo in salvo salendo sballonzolante a piena velocità su un marciapiede. Esasperata, tirai fuori lo stradario. L'unica era fare una bella inversione di marcia. Misi la freccia da brava e mi preparai a far fare alla macchinina l'inversione a U quando mi vidi arrivare incontro un TIR. Mio Dio, ancora un attimo ed eccomi promossa sul campo a pirata della strada. In qualche modo trovai finalmente la possibilità di tornare indietro, e dopo qualche altro strano giro raggiunsi insperatamente l'agenzia. Sicuro come l'oro che questa era la prima volta in due anni che venivo colta dalla felicità alla vista di quell'edificio.

Dall'agenzia al teatro di posa, e dal teatro all'agenzia, dall'agenzia all'aeroporto e poi di nuovo dall'aeroporto all'agenzia, facendo bene attenzione a evitare la bretella di raccordo dell'autostrada per Lubecca. Quando rientrai a casa era già buio. Il serbatoio era secco e lo ero anch'io: secca stecchita. Avevo provato tutti i percorsi possibili nelle più svariate combinazioni, tenacemente, senza mollare fino a che non riuscii a padroneggiare alla perfezione ogni singolo tragitto con le sue varianti.

Avevo fatto proprio un bel lavoro, ed ero orgogliosa di me stessa. A patire le sofferenze più grandi era stato il collo, con tutto quel gran girare la testa a destra e a sinistra in continuazione per controllare come si deve tutti gli specchietti eccetera (non dimentichiamoci dell'occhiata di sicurezza al di sopra della spalla destra, quella per le biciclette). Ogni movimento della testa mi faceva un gran male, e quando suonò il campanello mi precipitai alla porta rigida come un manico di scopa.

Era Hans, con l'animale. Una volta tirato fuori dalla cesta, Paolino si dimostrò di dimensioni ferine, e dopo essersi stiracchiato per bene, la prima cosa che fece fu di mettersi a soffiare selvaggiamente contro di me.

«Sei sicuro che non si chiami Paolo, e che non sia invece un gattopardo?» chiesi sospettosa a Hans mentre quel felino gigantesco nero come la pece si liberava dalle sue braccia con un balzo portentoso per andare a trovare rifugio sotto al divano.

«Niente paura» fece Hans, «in realtà è timido, come vedi. Stai tranquilla, un animale così sensibile ha più paura di te di quanta tu ne abbia di lui» mi rese edotta, agitando per di più davanti al mio naso un professorale indice teso.

«Ah, ma è di un bellissimo rosso» dissi io ironica non appena Hans tirò fuori l'attesa cassettina per i bisogni, che sistemò nel mio già piccolo bagno.

«Basta che la pulisci ogni due giorni» cercò di blandirmi Hans. «E non dimenticarti di lasciare sempre socchiusa la porta del bagno, o succede un patatrac».

Io già mi vedevo condividere con Paolino i nostri momenti più intimi, ognuno con il suo bravo gabinetto, in piena armonia: è sempre meglio guardare alle cose con umorismo. E anche quando Hans si mise a costruire sul tavolo di cucina una non trascurabile piramide di scatolette di cibo per gatti, con una geometricità da perfetto grafico, cercai di mantenere il buon umore.

«Quelle al tonno puzzano un po'» mi avvertì, «ma gli fanno bene al pelo».

«Capisco. E a me i capelli di che colore diventano, quando al mattino a stomaco vuoto devo aprire uno di questi cosi?» domandai.

«Oh, ma il verde ti dona!» ghignò Hans. «Ti porterò un regalino da Bali. E buon divertimento, con le riprese. Ah, e non dare mai latte a Paolino, solo acqua» si accomiatò.

Prudentemente mi sdraiai sul pavimento, e sbirciai sotto il divano: due occhi saettanti mi fissavano. Piuttosto inquietante. Non osai sedermi sul divano. Forse potevo conquistarlo con il cibo, una tecnica che non poteva fallire, pensai tamburellando con una posata nella ciotola di Paolino.

«Vieni, bello, c'è la pappa buona».

Sarà stato quello il richiamo abituale? Il convento passava 'Manzo con verdure', che rimase intonso.

Un ultimo tentativo: «Paolì, muovi quelle zampe: la zuppa è cotta, trippa per gatti».

Niente da fare.

Il mattino dopo, il dolore, che si era allargato a gola e spalle, mi faceva venire le lacrime agli occhi. Colta dalla disperazione, presi in mano le pagine gialle e passai in rassegna i nomi poco promettenti di vari ortopedici. Uno aveva l'ambulatorio dietro l'angolo, e questo gli fece guadagnare il mio favore.

Come al solito quando ho un problema urgente, raccontai all'infermiera in modo molto colorito della tortura inumana a cui ero sottoposta: «So di chiamare all'ultimo momento, ma lei deve capirmi: non riesco a muovere un muscolo. Il dolore mi sta uccidendo. È insostenibile, le assicuro, non faccio che ululare dal male. Lei è la mia unica salvezza!»

Finalmente, 'in via del tutto eccezionale' mi fu concesso di farmi vedere dal dottore in mattinata. Ringraziai il cielo e chiamai subito la mia segretaria per avvertire che avrei tardato. Poi aprii l'armadio, ne tirai fuori un paio di jeans e una felpa e mi preparai in fretta. Chiusi l'armadio e aprii la porta della cucina.

Lo sguardo mi cadde sulla ciotola del gatto, che era ancora piena fino all'orlo. I bocconcini di carne nel corso della notte si erano ricoperti di una crosta poco appetitosa. 'Sarà ancora buono?' mi chiesi. E dov'era finito il piccolo? Mi misi sulle ginocchia (ahia!) e guardai sotto il divano. Acqua. Dietro la sedia. Ancora acqua. Mi venne in mente la cassettina. Acqua, acqua. Be', in un bilocale di cinquanta metri quadrati non è che ci fossero molte altre possibilità. Continuai a girare a vuoto, rimuginando. La porta del balcone era socchiusa, ma c'era solo una fessura in alto, e dal momento che i gatti non sono noti per saper volare... Iniziai a preoccuparmi. «Micio, micio, micio» lo chiamai senza successo. Anche sotto il letto niente. Iniziai a sentire delle vampate di calore. O questo era il primo gatto munito di scudo invisibile, o se l'era in qualche modo data a gambe. 'Oddio, e adesso chi lo racconta ad Hans?' mi chiesi.

La fronte mi si imperlò di sudore. Mi sedetti a riprendere fiato sul divano e cercai di ricostruire ogni mio movimento da quando mi ero alzata. Improvvisamente balzai in piedi, cosa che la mia schiena non mi perdonerà mai. Non appena il dolore si fu calmato un po', mi precipitai in camera da letto e spalancai l'armadio, in cui infilai il braccio alla cieca. Quando ne estrassi la mano coperta di graffi sanguinolenti seppi finalmente dove Paolino si era accomodato.

«Bestia del cavolo!» gridai nelle profondità del mio armadio, ma poi decisi che la cosa migliore, per il momento, fosse di lasciarlo perdere.

Dal dottor Cramer dovetti aspettare 'solo' un'ora, durante la quale ebbi occasione di informarmi, attraverso la consultazione di svariate riviste, delle ultime novità sui vari scandali di tutte le case reali nonché su amori, tracolli e bebè di pop star, sportivi e attori.

Stavo ancora rimuginando sui motivi che potevano aver spinto un certo presentatore a lasciare la sua dolcissima moglie così inaspettatamente, quando finalmente toccò a me. Il dottor Cramer avrà avuto una quarantina d'anni e, per essere un dottore, purtroppo era molto attraente. Non mi piacciono i dottori belli: mi fanno sentire ancora più a disagio. Esposi in fretta il mio problema.

«Si spogli» fece serafico il dottor Cramer.

«Tutta?» chiesi scoraggiata.

«No, si tolga pantaloni e pullover» precisò.

Cioè come dire tutto, maledizione! Proprio stamattina avevo deciso di non mettere il reggiseno, e così mi ritrovai davanti a lui con indosso solo un paio di slippini: mi sentivo non solo malata, ma praticamente nuda come un verme.

«Adesso si giri e cammini piano su una immaginaria linea retta» mi ordinò.

In quel modo per fortuna non poteva guardarmi il seno, ma in compenso poteva consolarsi con tutta la mia schiena. Sentivo il suo sguardo su di me come una presa che scivolava lenta, e mi immaginai che stesse facendo segretamente delle considerazioni sulla mia cellulite. 'Non è che un uomo, e cioè, in questo caso, un voyeur' pensai. Quando fui arrivata al muro di fronte, non mi rimaneva altro da fare che girarmi.

«Mmm, sta molto seduta?» mi chiese mentre mi dirigevo verso la felpa, che mi appariva come un'ancora di salvezza.

«Sì, per via del mio lavoro» sussurrai appena.

Ancora un passo e avrei avuto la felpa tra le mani, e invece lui mi tagliò la strada.

«La sua colonna vertebrale è leggermente curvata, signora Lano. E con il tempo i fastidi potrebbero aumentare. Dovremmo prendere in considerazione l'idea di fare un po' di ginnastica correttiva» prospettò.

Vidi accendersi chiaramente nei suoi occhi una luce che tradiva il sogno di costose sedute di terapia.

«Sì, ma adesso cos'è che mi fa così male?» chiesi mogia.

«Per il tipo di dolori che lamenta, direi che si tratta di una distorsione. Ma possiamo esserne certi solo dopo una radiografia. Si accomodi, prego» disse indicandomi la stanza accanto.

Sempre nuda, mi ritrovai ora al buio. Delle radiografie si occupò la sua assistente, che scrutò per prima l'ossuto mistero che si occultava dentro di me.

«Ci sarà da aspettare un momento. Si accomodi pure, intanto» mi sorrise.

Così mi sedetti sola, con le tette al vento e i piedi freddi su uno sgabello di legno. Cinque minuti in quelle condizioni sembrano non finire mai. Accavallai le gambe, osservai accigliata una lentiggine di fianco all'ombelico e desiderai con struggimento una sigaretta.

Il dottor Cramer mi venne a recuperare con un «Tutto a posto». Mentre lo seguivo di nuovo nello studio, i miei piedi nudi facevano ventosa sul gelido pavimento di linoleum.

«Stia dritta, rilassata...» pretese ora.

Nel frattempo si era messo alle mie spalle. E adesso? Sentii il suo camice contro la mia schiena e poi, improvviso e inaspettato, il suo abbraccio, con cui mi allacciava da dietro. Alle sue parole sussurratemi all'orecchio: «Stia buona» mi irrigidii pietrificata dallo spavento.

Pensai immediatamente che mi volesse violentare, e che dovevo urlare con quanto fiato avevo in corpo, quando lui mi sollevò fulmineo con uno strattone verso l'alto per poi farmi ricadere subito dopo a terra con un gran tonfo. Adesso urlai eccome. Una caterva di vertebre avevano scrocchiato di sdegno per l'attentato a sorpresa, e la bocca era ancora spalancata dal terrore.

«Di nuovo» disse, mentre già tornavo a volare tra le sue braccia. Poi mi girò di fronte a sé e mi prese la faccia tra le grosse mani. Lo guardai con occhi sgranati mentre cercava chiaramente di spezzarmi l'osso del collo rovesciandolo all'indietro. Un altro crack, questa volta là dove credo sia la vertebra cervicale. Lo stesso ripeté poi nella direzione opposta, e finalmente lasciò la presa.

«Ecco fatto» annunciò il dottor Cramer.

Lo guardai interrogativa. Ah, beccato: non mi stava guardando nelle pupille, ma sui capezzoli!

Si schiarì la voce e disse: «Oggi cerchi di stare tranquilla, e vedrà che già domani starà meglio. Se i dolori non dovessero passarle, torni da me tra qualche giorno».

'Oh, no no, me ne starò buona buona: zitta e ferma come una mummia' pensai e, risollevata, tornai finalmente a rivestirmi.

«Buona giornata» sogghignò il dottor Cramer porgendomi una caramella.

Arrivai a casa con la caramella ancora in bocca, e mi buttai sul telefono: «Peter, uno spaccaossa mi ha appena smontata e rimontata pezzo per pezzo tutto lo scheletro. Meno male che non sono una giraffa! In questo momento mi sento come se le vertebre stessero litigando tra loro, mi devo assolutamente sdraiare. Spero che per domani tutto torni a posto. Passerò direttamente all'aeroporto a prendere Badon e poi veniamo assieme all'agenzia, okay?» lo informai.

Quindi me ne andai in cucina, ma decisi che avrei tenuto a freno il mio debole per il caffè: i malati bevono le tisane. Armata di una bella tazzona fumante di camomilla mi seppellii dunque sotto le coperte. Paolino, immobile come una bellissima statua sulla soglia della camera da letto, mi fissava con uno sguardo enigmatico. Mi sentivo osservata.

«Ciao, gatto» lo salutai. Mentre il sonno già mi sopraffaceva, sentii che facendo le fusa andava a sdraiarsi sui miei piedi. Bravo, il mio Paolino.

Le riprese

Che schifo! Sentii sulla faccia qualcosa di viscido che per di più mi faceva anche il solletico. Mi girai ancora mezza addormentata dall'altra parte. Rieccolo.

«Ma dai, Paolino!» Guardai stupita il mio gatto adottivo che evidentemente aveva deciso di giocare a fare la sveglia a suon di allegre leccate di naso. Paolino sembrava non aver aspettato altro che io gli rivolgessi la parola, e considerò la cosa come l'apertura ufficiale dei giochi. Con un pesante balzo andò ad atterrare sulla mia pancia. Io saltai per aria come morsa dalla tarantola. «Ahia!» Forse poteva permettersi di farlo sugli addominali di Hans, ma i miei... No, questo per me, ancora a stomaco vuoto, era troppo.

«Sparisci» sibilai lanciando un'occhiata alla sveglia che segnava le sei, almeno un altro quarto d'ora a letto non me lo levava nessuno... E invece Paolino fece finta di non capirmi, e passò, mugugnante di eccitazione, a fare l'agguato alle dita dei miei piedi.

«E va bene, ora mi alzo. Se fai il bravo oggi ti do la pappa al tonno, sai che festa!» mi misi a chiacchierare con lui. «Ah, questa l'hai capita, eh?» scherzai parlandogli in dialetto berlinese.

Il gatto mi seguì in cucina, saltò sul lavandino e mi osservò mentre lottavo con l'apriscatole.

«Bleah, se puzza! Gustatelo fino in fondo, perché questa sarà l'unica orgia di tonno della settimana, te lo garantisco». Schifata, mi allontanai da Paolino, che si era messo a masticare allegro, per dedicarmi al mio quotidiano programma di bellezza.

Il piccolo striptease del giorno prima aveva dato i suoi frutti: a parte un po' di indolenzimento alla nuca non c'erano altri strascichi. Tutte quelle ore di sonno mi avevano spianato ogni ruga, e l'abito con i pantaloni mi stava a pennello. Mentre bevevo il caffè diedi un'ultima occhiata alle fotocopie della pianta cittadina, poi, con gli occhi chiusi, levai al cielo una preghiera da guidatore.

All'aeroporto, dopo aver parcheggiato, marciai fin dentro la hall degli arrivi e aspettai di veder spuntare Mike Badon. Ero piuttosto nervosa: incontrarlo qui da sola, e poi sedere assieme nella mia auto... ohi, ohi! Avevo appena spento una sigaretta fumata tutta d'un fiato che me lo ritrovai davanti al naso.

«Lei in persona, signora Lano? Questa sì che è una bella sorpresa!» mi salutò con grande calore. Non mi ero sbagliata: quando voleva poteva essere proprio carino.

«È un piacere» gli sorrisi. «Ho la macchina laggiù». Gli feci strada e poi gli aprii solerte per prima la portiera dalla sua parte.

«Grazie» disse, e mentre ancora si sistemava, il sedile scivolò indietro con lui sopra fino a sbattere contro quello posteriore.

«Oh, mi dispiace, non era bloccato» mi scusai mortificata. Avrei voluto sprofondare.

Smanettammo entrambi diverse leve e levette per cercare di rimediare all'accaduto, finché lui finalmente non ci riuscì. «Lo sa? Io ho un debole per le vecchie macchine: hanno una loro personalità» rise. Improvvisamente il mio imbarazzo si dileguò.

«Be', le presento il mio Baxi» gli spiegai mentre mi concentravo sulla strada da fare.

«Baxi?» chiese lui.

«Sì, per via della targa: la 'B' di Berlino, e poi le prime lettere 'AX'. La 'I' ce l'ho aggiunta io perché suona bene. Non sono una patita di automobili, ma con questa ho instaurato un profondo rapporto spirituale» dissi dando dimostrativamente una carezza al volante.

Lui mi chiese se ero di Berlino proprio mentre aggiravo con estrema perizia il cartello dell'autostrada per Lubecca.

«Proprio così» risposi, «vengo da lì. Sono berlinese dalla testa ai piedi».

«Non ha degli antenati che vengono dal sud?» volle sapere. Ero abituata a questa domanda. Italiani, spagnoli e turchi mi rivolgevano spesso la parola nelle loro belle lingue. Ma non tutti quelli con i capelli scuri sono nati sotto il sole cocente.

«No» scossi la testa, «anzi, vengono da ancora più a nord. Purtroppo. D'inverno mi piacerebbe tanto vivere in regioni più calde».

E già eravamo arrivati davanti allo studio.

«Non volevamo passare prima all'agenzia?» chiese Mike Badon, e io mi rivolsi mentalmente una scarica di gentili improperi che andavano da sciocchina, a rimbambita a semideficiente cronica. 'Calma, non perdiamo i nervi' pensai.

«Certo, subito. Volevo solo controllare che qui fosse tutto in ordine» risposi.

Il segretario di produzione, stupito di vedermi arrivare così presto, mi tranquillizzò: sì, era tutto in ordine. 'Se adesso imbrocco la via di casa invece di quella per l'agenzia sono fatta' pensai. E invece andò tutto liscio.

Peter mostrò le nostre proposte per l'allestimento dello stand in fiera, e io osservai i due uomini passare in rassegna schizzo dopo schizzo. Ogni tanto Mike Badon aveva qualche modifica da proporre, di cui prendevo nota, per poterne poi discutere con Hans la settimana successiva.

Alzai la testa dal mio blocco quando a un certo punto sentii Badon ridere. 'Che bei denti' pensai, e rimasi con lo sguardo appeso alle sue labbra: 'Kinski o Belmondo, ha una bocca proprio interessante. Una bocca grande' constatai.

Da lontano sentii la voce di Peter: «Linda, che fai, sogni a occhi aperti? Volevo sapere cosa ne pensi».

Oddio! Non sapevo neanche di cosa stessero parlando.

E quel Badon rideva sotto i baffi, mentre io cercavo di togliermi da davanti agli occhi una ciocca inesistente.

«Mmm, sorry?» dissi inarcando interrogativa le sopracciglia.

«Per la stampa ci vorranno due o tre settimane?» chiese Peter impaziente.

Non avevo la più pallida idea di cosa stessero parlando, così nel dubbio dissi con decisione: «Tre settimane, come minimo».

Peter annuì soddisfatto e con incomparabile bravura portò la discussione sul suo tema preferito: la sua carriera giornalistica di trent'anni prima. Riusciva a farlo con tutti quelli che ancora non conoscevano i suoi aneddoti. E quelli che li avevano sentiti tante volte che gli uscivano dalle orecchie, dovevano ascoltarli e riascoltarli di nuovo fino a che non li avevano imparati a memoria. Io stessa avevo avuto già più volte il piacere, e così potei tornare a dedicarmi alle mie ricerche sul tema della bocca nella filmografia dal dopoguerra a Mike Badon senza dare troppo nell'occhio. L'oggetto dei miei studi, impegnato a seguire i racconti di Peter, giocava distrattamente con una penna: belle mani davvero.

Il mio capo stava ancora gesticolando, selvaggiamente trasportato dal minuzioso racconto di ricerche segrete che aveva fatto riguardo a un assassinio ormai dimenticato da tutti, quando la testa grigia di Karl fece capolino dalla porta e ci ricordò che si avvicinava l'ora dell'inizio delle riprese.

«Ce la fai a trovare lo studio?» chiese Peter scettico.

Pregai che Mike Badon non menzionasse il nostro giro a vuoto quella mattina, e risposi in fretta: «Chiaro, no problem» e feci ondeggiare con superiorità le chiavi dell'auto.

In studio il regista stava giusto provando con la nostra modella come ci si infila un paio di sottili calze di seta bianca. «Baby, cerca di essere sciolta, come se stessi facendo la cosa più naturale di questo mondo» le stava spiegando, «e un po' più veloce» aggiunse dopo un'occhiata al cronometro.

Anita tese la gamba, una delle sue due pertiche. La osservai piena di invidia. Nessuno, non c'era nessuno al mondo che non l'avrebbe trovata divina. «Strrrap»: Anita fece fuori con un'unghiata il primo paio di calze.

«Mettete su un po' di musica» borbottò il regista.

Immediatamente si diffuse la melodia suadente di un saxofono. Mike Badon era di fianco a me, e io potevo sentire l'odore del suo dopobarba. Guardò giù verso di me senza dire una parola. Occhi marroni, ciglia folte: irresistibile. 'Sarà l'effetto della musica' pensai distogliendo lo sguardo.

Mi concentrai sul buffet, che di solito è la cosa migliore dei set delle riprese: un ammasso di squisite porcherie. Lasciai perdere i baci di cioccolato alla mia sinistra, e non degnai neanche di uno sguardo i fragranti croissant; mi buttai a pesce sul piatto delle *crudités* e mi concessi una carota cruda, ma senza intingolo, perché le erbette vanno sempre a incastrarsi in mezzo ai denti. Mike prese un caffè e si complimentò con me per l'organizzazione.

«E quando tocca ai nostri orologi?» chiese.

«Nella prossima scena, non appena Anita ce l'ha fatta a infilarsi decentemente le calze. A quel punto facciamo una bella ripresa ravvicinata del quadrante» spiegai.

«Affascinante» commentò lui guardandomi dritto negli occhi con quel suo sguardo indefinibile.

Nell'inquadratura della telecamera apparve improvvisamente Peter, in una posa da padrone di tutta la baracca. «Scappiamo a pranzo» disse, e ci trascinò al suo ristorantino italiano preferito.

Avevo giurato a me stessa che non avrei toccato un goccio di vino, ma non riuscii a resistere. Dopo il primo bicchiere, Peter attirò l'attenzione su di me: «La nostra Linduccia ha già gli occhi lucidi lucidi» se la rise.

Mike Badon mi guardò e ribatté a Peter: «Oh, ma quelli ce li ha sempre!»

Io guardai imbarazzata nel piatto di spaghetti: ehi, quello era un vero e proprio complimento. Mi si chiuse completamente lo stomaco, e la pasta non riuscì più in alcun modo ad andarmi giù.

Il pomeriggio ci sedemmo una accanto all'altro sulle inevitabili sedie da regista.

«Sì, calda, calda, ecco, così...» sembrava quasi che il regista stesse uscendo di testa, mentre Anita trafficava lieve con la giarrettiera.

L'atmosfera traboccava di erotismo, e io mi sentivo elettrizzata. «Porta anche lei quel genere di cose?» mi chiese Mike Badon.

«Ma va'... voglio dire... raramente» balbettai, e col pensiero andai alla mia magra collezione di collant neri non propriamente sexy.

Lui rise e si voltò verso Karl, che era tutto assorbito da quanto stava accadendo sul set. Karl guardò l'orologio e disse: «Tra mezz'ora lei deve essere all'aeroporto. Ne approfittiamo per fare un ultimo brindisi di buon viaggio?»

La vecchia spugna trovava sempre un buon motivo per stappare una bottiglia. Il tappo dello spumante saltò, e noi alzammo i calici: «Al successo» disse lui.

«E all'amore, e alla vita» mi scappò il mio consueto brindisi.

«Bello, sono d'accordo» annuì Mike Badon dandomi il colpo di grazia definitivo della giornata.

«Torno subito. Al più tardi per le otto e mezzo sono di nuovo qui» dissi a Karl, e trottai sciolta verso il Baxi con Badon al mio fianco.

«È gentile da parte sua accompagnarmi» fece lui quando eravamo ormai quasi arrivati all'aeroporto.

«Sì, lo so: ho un gran cuore» scherzai.

Finalmente arrivati, scendemmo dall'auto, e io tirai

fuori dal bagagliaio la sua ventiquattrore. Nel dargliela, le nostre dita si sfiorarono. Rimanemmo in silenzio una di fronte all'altro. Lui abbassò serio lo sguardo su di me. Mi vennero le vertigini e avevo come la sensazione che il tempo si fosse fermato.

«Be', allora...»

«Be', allora...» ripetei, inquieta per quell'improvvisa atmosfera così intima.

Con un tenero sorriso sulle labbra mi strinse brevemente il braccio e si congedò: «Ci vediamo presto».

Io ricambiai il sorriso e lo guardai allontanarsi. Risalii in macchina a testa bassa e feci un gran respiro. Il cielo invernale pieno di stelle sopra la mia testa, una strana euforia e l'odore del suo dopobarba che ristagnava ancora nell'abitacolo mi mandarono completamente in cimbali. Ripartii con la testa chissà dove: mi sentivo come se non appartenessi del tutto a questo mondo.

Un'ora dopo fermai un taxi. In quello strano stato d'animo avevo finito con il guidare alla cieca, e mi ero completamente persa. Una volta nei pressi dello studio pagai il tassista che mi ci aveva condotta e mi diressi da Karl.

«Accidenti, Linda! Iniziavo a pensare che ti fosse successo qualcosa» mi accolse visibilmente sollevato.

«Ho avuto un contrattempo» mormorai vaga osservando Anita che si preparava paziente per l'ultima inquadratura.

Poco prima di mezzanotte entrai distrutta in casa. Stentavo a credere ai miei occhi: Paolino non era rimasto con le mani in mano. Non solo aveva fatto cadere l'unica pianta che possedevo dal bel piedistallo a capitello romano. No, si era anche divertito a dissotterrare con cura la mia yucca, e a cospargere la stanza di orme di terra bagnata. Il sofà turchese era conciato da buttar via, il vaso era in pezzi e io ero imbufalita.

«Brutta bestia schifosa!» lo aggredii giusto mentre si stava arrampicando alle tende della camera da letto.

Lui si voltò a guardarmi sdegnato e riprese la scalata. Lo afferrai con una presa sicura sganciandolo dalle tende e lo gettai sul letto. Lui scappò in cucina dove guardò pieno di rimprovero nella ciotola vuota. Anche se avrei tanto voluto farlo, non potevo certo lasciarlo morire di fame, così gli diedi magnanima il resto della scatoletta al tonno. Poi gli riempii anche la scodella per l'acqua, e appoggiandola sul pavimento gli feci conciliante: «Ecco qua, Paolino. All'amore e alla vita: salute!»

Il rendez-vous

Il giorno dopo non ebbi neanche il tempo di riflettere sul mio stato d'animo. Peter voleva spremere dal mio cervello esausto qualche geniale idea per una nuova campagna, Mike Badon aveva mandato quattordici pagine di fax con altri compiti per la fiera, e per coronare il tutto il signor Domann aveva deciso di lanciare sul mercato proprio ora la variante a basso contenuto calorico della sua margarina. «Sa, per quelli che diventan matti per le diete e per la cura del corpo» mi aveva spiegato, e io mi vidi baluginare davanti tutto il gruppo delle mie amiche.

Poco dopo chiamò Simone: «Che ne dici di un weekend a Sylt? Per rilassarci, combinar guai e fare delle passeggiate?»

«Conta su di me» risposi. «Ho proprio bisogno di una boccata d'aria fresca, via da tutto questo stress».

Quella sera stavo pisolando sul mio divano di pelle quando suonò il telefono.

Era una voce d'uomo che non conoscevo: «Buonasera, signora Lano, parla Schilling. È stata così gentile da scrivermi una lettera».

Tacqui ripassando in fretta a mente tutta la corrispondenza d'ufficio degli ultimi giorni. Poi mi venne l'illuminazione.

«Oh, buonasera» dissi quasi senza fiato. «Lei dev'essere il signore sportivo e colto».

Lui rise e si raschiò la gola. «Esatto. E la sua lettera mi è tanto piaciuta che ho dovuto chiamarla immediatamente» disse il signor Schilling e schiarì nuovamente la voce.

Sembrava piuttosto nervoso, e la cosa mi fece completamente rilassare: «Ha fatto benissimo. Mi dica, ha ricevuto molte risposte? Voglio dire, l'esca del viaggio nei Caraibi avrà sicuramente ispirato parecchie signore, o no?» gli chiesi.

«Effettivamente» e di nuovo una raschiata. «Una cosa orrenda, a dir la verità. Ho ricevuto proposte di ogni genere, in parte anche scioccanti. Solo la sua lettera suonava intelligente e in qualche modo personale. Mi ha incuriosito» disse tornando subito a raschiarsi.

Adesso volevo capire con che razza di persona avevo a che fare, e gli chiesi: «E lei che fa di bello nella vita, signor Schilling? Lo so, è una domanda un po' sciocca, ma da qualche parte dovremo pure incominciare...»

Il signor Schilling si raschiò la gola e spiegò un po' mellifluo: «Mah... questo e quello. Affari, insomma. Import, export, una casa d'auto a Brema, più per divertimento che altro. E poi una società di consulenza. Sì, insomma, varie cose, appunto».

Ah be', adesso sì che avevo le idee chiare! «Affari seri?» chiesi sfacciata.

«Ma si capisce!» rispose deciso. E si raschiò.

Iniziai a raccontare apertamente di me: «Io lavoro in una agenzia pubblicitaria. Invento le campagne, seguo i clienti e organizzo un po' tutto. Preferibilmente ventiquattr'ore al giorno. Sa, è un lavoro che non lascia molto tempo libero. Ecco perché finora non ho mai avuto molto tempo per occuparmi della mia vita privata. Ma volevo iniziare a pensarci» aggiunsi promettente.

«Be', che ne direbbe se la invitassi a cena una di queste sere?» chiese cautamente il signor Schilling.

«Ma certo, è una buona idea» lo incoraggiai.

Si raschiò la gola e rifletté. «Come vogliamo fare? Ci incontriamo al ristorante, passo a prenderla o cosa?»

Mi immaginai entrare in un ristorante di lusso e squadrare tutti gli uomini soli seduti ai tavoli.

«Credo sia meglio se passa a prendermi. Incontrarci al ristorante con una rosa rossa in mano come segnale in codice sarebbe davvero troppo imbarazzante. Non facciamoci del male!»

«No, ha ragione. Vede, anche per me è la prima volta,

quindi non sapevo bene cosa proporle. Le sta bene domani sera?»

«Sì, domani va benissimo» accettai.

«Allora prenoto un tavolo 'da Paolo' e la passo a prendere alle otto, d'accordo?» propose.

Lanciai un'occhiata al mio sofà maculato terra e dissi in fretta: «D'accordo: suoni al citofono, e scenderò subito».

Con un'ultima raschiata e un «A domani, allora» il signor Schilling concluse la telefonata.

Mi misi a correre come una pazza per l'appartamento, strizzai al petto il povero Paolino che scappò terrorizzato, e chiamai subito mia madre per raccontarle tutta la storia.

«Ma tesoro, non vorrai mica salire sull'automobile di un perfetto sconosciuto?» si oppose preoccupata.

A questo non ci avevo neanche pensato, e respinsi con veemenza l'accusa latente di depravazione. Feci poi un giro di telefonate per mettere al corrente le mie due amiche degli incredibili sviluppi.

«Vittoria, vittoria!» strillò Simone al telefono dandosi delle gran manate d'entusiasmo sulle cosce.

Ulrike volle subito sapere: «Cosa ti metti?», e assieme decidemmo che l'abito blu con i pantaloni fosse la cosa migliore.

«Ma sotto metti una T-shirt, e non una camicetta bianca, o sembrerai pronta per la cresima» mi consigliò.

Oddio, com'era emozionante!

La sera successiva ero lì nel soggiorno tutta in ghingheri e pronta ad affrontare quello che mi avrebbe riservato la serata. Mi immaginai l'arrivo al ristorante, e la domanda di prammatica sull'aperitivo. Avrei dovuto rifiutarlo? E se avessi preso uno sherry secco? Sicuramente una scelta di stile, se non fosse per il piccolo dettaglio che lo sherry non mi piace. Un Campari soda? 'Mah... un po' troppo estivo', pensai. Un bicchiere di prosecco? Ordinario. No, decisi che avrei dovuto approcciare la cosa come una vera signora, e mi esercitai davanti allo specchio: «Una coppa di champagne, grazie».

Niente male, approvai ripassandomi il contorno delle labbra. Oddio, che nausea! Come avevo potuto ficcarmi in quella situazione?

Purtroppo il mio appartamento non aveva nessuna finestra che desse sulla strada, una vera disdetta. Così poco prima delle otto presi il mazzo delle chiavi di casa e andai sulla tromba delle scale. Sbirciai, attenta a non dare nell'occhio, fuori da una finestrella che si affacciava sulla via, e osservai le macchine che passavano. Una Golf transitò veloce. Ecco una grossa Mercedes, un modello adatto al signor Schilling. Via anche quella. Forse una BMW? Neanche lei. Improvvisamente si avvicinò qualcosa di futuristico. Cos'era, una Maserati? Oddio, stava rallentando. Osservai ancora per un attimo quel siluro e tirai in fretta dentro la testa non appena si fermò lì sotto. Qualche secondo dopo suonò il citofono in casa mia.

«Paolino, incrocia le unghie per me! Speriamo di non venir rapite...» gli gridai correndo all'ascensore. Ancora un'occhiatina nello specchietto da borsetta. 'Perfetta' giudicai rassicurata, e uscii dall'ascensore con il cuore che impazzava.

Aprii il portone di casa e mi trovai davanti la schiena di un uomo alto. Si girò e si raschiò la gola. Era lui, non c'era dubbio.

«Buona sera, signor Schilling» lo salutai signorilmente tendendogli la mano.

«Buona sera» rispose, e mi guardò incerto. «L'auto è qui davanti» disse dirigendosi proprio verso il modello di lusso che avevo visto dall'alto. La Maserati era così appiattita sull'asfalto che entrarci non fu semplice. Il signor Schilling non disse una parola e partì. Seduta di fianco a lui, lo osservai: 'Un vero signore' pensai intimidita. Abito scuro, cravatta, cappotto di cachemire. Forse un po' rigido e abbottonato, molto anseatico. Si buttò a gran velocità verso un semaforo rosso, per frenare poi improvvisamente all'ultimo momento, e io mi ritrovai con le unghie conficcate nel sedile. Aveva un modo di guidare che un pilota di rally non era niente.

«Se vado troppo veloce per lei, me lo dica» fece lui.

«No, no» cercai di sembrare rilassata, «bisogna potersi muovere anche in città» e controllai ancora una volta senza dare troppo nell'occhio l'allacciatura della mia cintura di sicurezza.

Con fare saputo infilò la marcia sbagliata, e la Maserati protestò con un baccano sofferente, da straziare il cuore. Stava quasi per sfuggirmi un «E tanti saluti al cambio» ma riuscii a trattenermi in tempo. Quando arrivammo al ristorante 'da Paolo' tirai un sospiro di sollievo. Strisciai fuori dal pericoloso veicolo mentre al signor Schilling scivolarono di mano le chiavi dell'auto.

«Che cosa diavolo mi succede oggi?» lo sentii mormorare.

Quando ci condussero al nostro tavolo mi venne un colpo: Simone e Ulrike erano sedute qualche posto più in là e incontrando il mio sguardo mi sorrisero sfacciate. Ci mancava solo questa. Per fortuna il signor Schilling sistemò le sedie in modo tale che io rivolgevo loro le spalle. Noi due ci guardammo al di sopra delle candele, e il signor Schilling si raschiò la gola.

«Un aperitivo?» propose discreto il cameriere.

Con estrema grazia, come solo io so fare, inclinai lievemente indietro il capo e ordinai: «Una coppa di champagne, grazie». Cosa non fa l'esercizio!

Il signor Schilling mantenne ostinatamente il suo silenzio e ripescò dalle tasche della sua giacca un pacchetto di sigarette. Scusandosi spiegò: «Purtroppo appartengo alla minoranza dei fumatori. Spero che non la disturbi».

Cercai di metterlo a suo agio: «Ma si figuri! Anzi, ne

offra una anche a me: con lo champagne devo assolutamente fumare».

Così sbuffammo soddisfatti il nostro nervosismo nell'aria. Il signor Schilling raccontò di sé, piacevole e modesto. Mi feci l'idea che a sedermi di fronte era uno scapolo milionario, il primo che mi capitava di incontrare da vicino. Durante la cena, il discorso cadde di nuovo sull'annuncio, e dovemmo ridere tutt'e due del nostro assurdo rendez-vous.

Il signor Schilling spiegò: «Vede, avevo in programma un viaggio nei Caraibi con un'amica, la prima vacanza da tre anni, per via del lavoro. Poi, due settimane fa ci siamo lasciati, e un amico mi ha convinto a mettere l'annuncio. Non si immagina quanto è stato imbarazzante per me già solo presentarmi al giornale con l'annuncio!»

Al pensiero del compìto signor Schilling che andava allo sportello degli annunci con il suo testo in mano scoppiai a ridere: «Fantastico! Semplicemente fantastico, senza contare che è veramente un'idea folle che due perfetti estranei partano assieme per una vacanza, non crede?»

Annuendo lui replicò: «Effettivamente, nel frattempo sembra una cosa totalmente assurda anche a me».

«E lo è. Anche se ora sono qui seduta di fronte a lei, forse la cosa migliore è che passiamo una bella serata assieme e lasciamo perdere questa storia della vacanza» proposi.

Finalmente eravamo tutt'e due più rilassati. Il signor Schilling si raschiò la gola non più di una volta all'ora, e ci raccontammo le nostre vite, filosofeggiando sull'amore, discutendo di lavoro, arte e varia umanità. Verso mezzanotte le mie amiche ne avevano avuto abbastanza, e uscendo passarono accanto al nostro tavolo lanciandomi un sorriso beffardo. Simone si voltò indietro a strizzarmi l'occhio con i pollici alzati. Io decisi di osare il gran passo, e proposi al signor Schilling di darci del tu. Il signor Schilling si chiamava Gerhard.

Rimanemmo fino alle tre e mezza in un bar lì vicino, a bere champagne. Poi Gerhard mi portò a casa a velocità di razzo, e io lo ringraziai per la bella serata.

«Sei ancora più carina di come ti sei descritta nella lettera» mi disse lasciandomi dopo avermi baciato galantemente la mano.

Entrata in casa, discussi la faccenda con Paolino, che mi aveva accolta con grande entusiasmo.

«Hai visto che non mi ha rapita nessuno? Anzi, ho fatto la conoscenza di un vero signore, una via di mezzo tra un corridore automobilistico e un milionario, sai? Ma non è quello giusto. La sua bocca non è neanche lontanamente sexy come quella di Badon, capisci? Chissà se anch'io gli piaccio, al Badon...»

Paolino per tutta risposta si mise a fare le fusa.

Il giorno dopo arrivò Hans.

«Vergognati! Sei nero come il carbone» lo aggredii scherzando.

Hans si lasciò andare a racconti entusiastici su Bali e mi allungò un grosso pacchetto avvolto in una carta dai disegni sgargianti. «Per te, come ringraziamento per esserti presa cura del gatto. Ha fatto il bravo, il mio Paolino?»

Mentre aprivo il pacco gli raccontai che Paolino aveva ridotto a zero il mio patrimonio forestale e aveva ridotto a pezzi le tende della stanza da letto, ma che in realtà aveva fatto breccia nel mio cuore. Dal mare di carta era affiorata una figura esotica, che mi lasciò senza fiato.

«Che cos'è?» chiesi osservando quello strano coso.

Hans scoppiò a ridere: «Un dio della fertilità. Sapevo che ti sarebbe piaciuto» e scomparve con Paolino.

Telefonai a Simone, che mi chiese per filo e per segno del mio rendez-vous della sera prima. Quando ebbi soddisfatto la sua curiosità, aggiunse: «Allora domani ci troviamo alla stazione subito dopo il lavoro, okay? Il treno per Sylt parte alle cinque: troviamoci un quarto d'ora prima a metà della banchina».

«Fantastico» risposi tutta contenta alla prospettiva del nostro weekend di riposo. Sotto lo sguardo attento del dio della fertilità mi misi a preparare la borsa da viaggio.

Sylt

Guardai agitata l'orologio. Oddio, ero maledettamente in ritardo. Peter continuava a blaterare delle sue ultime scoperte sul mercato della margarina dietetica, e il mio tempo si faceva sempre più stretto. Mi alzai decisa.

«Fantastico. Veramente interessante. Allora lunedì ci diamo dentro, eh? Ora però mi scusi ma devo scappare» e mi precipitai nel mio ufficio.

Afferrai la borsa da viaggio e mi buttai nel primo taxi. Arrivata in stazione corsi al tabellone delle partenze, dove scoprii che il nostro treno partiva dal binario dieci. Mi scapicollai giù per le scale cercando di scorgere Simone, e la trovai che cercava di decifrare il cartello dove è segnata la suddivisione dei vagoni nei vari convogli.

Simone mi disse contenta: «Guarda qua, il vagone ristorante è proprio nel centro. Possiamo salire lì e berci tranquille un bicchiere di vino piluccando qualcosa. Ulrike ha prenotato un tavolo per le nove, ma se non mangio qualcosa prima, svengo. Che ne dici, ti va l'idea?»

Annuii entusiasta. Mangiare in viaggio è una delle cose che mi piacciono di più. Nell'attesa ci sedemmo così su una panchina a fumarci una sigaretta, chiacchierando animatamente dei fatti nostri.

«Aspetta, ascolta!» interruppi il fiume di parole di Simone. Un altoparlante annunciava che il treno per Sylt avrebbe avuto qualche minuto di ritardo. A noi non ce ne importava niente: pochi minuti non avrebbero rovinato il nostro fine settimana. Alle cinque meno sette minuti in punto arrivò il lunghissimo treno, e noi ci assicurammo immediatamente un bel tavolino nel vagone ristorante. Squittendo di piacere Simone ordinò un piatto di formaggi e del vino bianco secco.

«Libertà, arriviamo!» brindammo felici come due pasque.

«Divino» s'inebriò Simone masticando un pezzo di camembert. Aveva appena attaccato a raccontarmi gli ultimi pettegolezzi sulle nostre amiche comuni quando si parò davanti a noi il controllore.

«Buongiorno» feci io educatamente. «Purtroppo non abbiamo fatto in tempo a fare il biglietto in stazione, per cui lo facciamo qua. Due andate e ritorno per Sylt, grazie».

E tutt'e due frugammo in cerca dei nostri portamonete.

L'uomo chiese «via Karlsruhe?»

Mi sforzai di visualizzare davanti agli occhi la piantina della Germania. Dove diavolo era Karlsruhe?

«Karlsruhe?» sbottai quindi irritata.

«O via Francoforte?» chiese lui paziente.

Be', dov'era Francoforte lo sapevo eccome: almeno seicento chilometri più a sud della nostra destinazione. Mio dio, che razza di imbecille.

«Certo che no» risposi io. «Diretto, per favore!»

Quello guardò con attenzione prima me, poi Simone, poi di nuovo me. Simone era impaziente di riprendere il suo racconto e ripeté energicamente: «Due diretti per Sylt».

L'uomo in uniforme sfoderò un sorriso sarcastico, si sistemò di lato il suo ridicolo cappellino e disse: «Egregie signore, devo annunciarvi che siete sul treno per Francoforte».

Simone iniziò ad arrabbiarsi sul serio. Gli altri viaggiatori seguivano attenti la nostra discussione, e nel vagone ristorante calò il silenzio; si poteva sentire solo la voce alterata di Simone: «Senta, la smetta di fare l'imbecille!»

Il controllore non si aspettava un simile attacco diretto, e prese a dondolarsi incerto da un piede all'altro. Al tavolo accanto un adolescente nel fior fiore della sua pubertà rise sguaiatamente. Avevo capito tutto. Afferrai il braccio di Simone: «Buona, stai buona. Ci stanno prendendo per i fondelli. Dev'essere una candid camera» dissi convinta.

Alzammo entrambe lo sguardo alla ricerca della telecamera nascosta.

Il controllore interruppe la nostra ricerca: «Guardi che si sbaglia: siete proprio sul treno sbagliato».

Non potevo crederci. Simone rimase imbambolata a guardarlo: persino lei era rimasta senza parole.

Il controllore sfogliò solerte il suo orario. «Vediamo un po'... Tra mezz'ora siamo a Hannover, lì potete prendere il treno che vi riporta indietro. Alle venti e trenta siete di nuovo alla stazione di Amburgo-Altona. E siete fortunate: stanotte c'è ancora un treno locale che arriva fino a Sylt, arrivo all'una e venticinque. Che ne dite?» chiese raggiante.

«Una vera bellezza» rispose secca Simone. «Ci prenderemo un altro piatto di formaggi».

Mi sentii montare dentro la ridarella. Guardai nel piatto la deprimente decorazione di salatini e rondelle di carota che doveva rappresentare dei fiori, e iniziai a ridere. Simone mi guardò in faccia e scoppiò anche lei in singhiozzi di riso. Ci ritrovammo piegate in due con la pancia in mano. Anche le persone attorno a noi non riuscirono più a trattenersi. Dai miei occhi sgorgavano lacrime a fiumi.

«Via Karlsruhe?» mi tornò in mente la prima domanda del controllore, e Simone quasi finì sotto il tavolo.

Boccheggiando si girò verso il tavolo di fianco: «Avete sbagliato anche voi?»

Tutti scossero la testa.

«Che figura!» singhiozzai. «Sono in grado di arrivare puntuale a un appuntamento a Los Angeles, ma poi non sono capace di salire sul treno giusto!»

«Da non crederci! È tutta colpa del fatto che siamo salite direttamente nel vagone ristorante, dove non c'era nessun cartello che indicasse la destinazione del treno, ma solo il simbolo con la forchetta e il coltello» ricostruì Simone.

«Siamo semplicemente salite sul primo treno che è arrivato al binario dopo l'annuncio del ritardo» ricordai.

Da Hannover chiamammo Ulrike, che non riusciva a credere alla furbizia che ancora una volta avevano dimostrato le sue infallibili amiche. «Vabbe', fate buon viaggio, allora!» fece ironica.

Che piacere ritrovarsi dopo una quasi eternità ad Amburgo! A un chiosco ci rifornimmo di sandwich, barrette di cioccolato e spumante, per poi ritrovarci sedute al buio su una panchina della piattaforma desolata. «Treno locale» sospirò Simone.

Una volta nel nostro scompartimento ci consolammo spazzolando via tutte le nostre provviste per il viaggio, fino all'ultima briciola, compreso lo spumante tiepido tracannato direttamente dal collo della bottiglia.

«Voi due cerebrolese ci mettete di più ad arrivare a Sylt che una persona normale a New York!» ci accolse Ulrike. «Comunque preparatevi: qui c'è gente fantastica, e un sacco di cose da fare. Ma avrete modo di rendervene conto da sole domani» disse guidandoci all'hotel.

Stravolta, mi lasciai sprofondare nelle lenzuola a quadretti bianchi e rossi, giurando a me stessa che non avrei mai più preso un treno in vita mia.

Il giorno dopo ci regalò uno splendido cielo blu, che ammirammo durante la ricca colazione. Era straordinariamente caldo, per quella stagione.

Simone si lasciò andare all'entusiasmo: «Primavera a Sylt», e si piazzò sul naso i suoi occhiali da sole griffati. In jeans e felpa ci mettemmo in marcia verso la spiaggia. La passeggiata di prammatica finì miseramente non appena adocchiammo le prime poltroncine di vimini da spiaggia. Le girammo verso il sole e ci godemmo il dolce tepore.

«Eccole che tornano all'attacco, le nostre piccole amiche» mi stuzzicò Ulrike dopo un po' indicando le lentiggini che affioravano impietosamente sul mio viso.

«Sempre meglio dei foruncoli» risposi io pigramente. Niente, assolutamente niente mi avrebbe fatto uscire dai gangheri, oggi.

Ulrike si mise a pasticciarmi i capelli. Sentivo che stava per arrivare uno dei suoi blitz.

«Doppie punte» commentò annichilendomi. «Ma sei fortunata, Linda. Ho portato dietro le mie forbici speciali: stasera ti sistemo io».

«Solo le punte, al massimo» protestai presagendo il peggio.

Simone si tolse le cuffie del walkman. «Che cosa è il massimo?» chiese.

«Tutto questo» esultai rilassata.

«Stasera si va in vita: metteremo a soqquadro l'isola. Sarà una goduria» promise Ulrike.

«Oh, tesoro, ti amo! Se non fosse per una stupida questione di ormoni, ti sposerei di corsa» dissi a Ulrike.

Lei con tocco esperto mi fece un massaggio al collo che era la fine del mondo. Rovesciai la testa all'indietro e chiusi gli occhi. Ulrike si mise a tagliuzzare tra i miei capelli finché a un certo punto non disse: «Fatto». Riaprii piano gli occhi.

«Ma sei impazzita?» gridai fuori di me. «Saranno almeno dieci centimetri» mi indignai sollevando ciuffi di riccioli neri. «E poi chi ha mai detto di volere una frangetta sulla fronte?» chiesi furente.

«Datti una calmata. Anche il tuo look da Monna Lisa non era poi il massimo, se proprio lo vuoi sapere. Almeno adesso hai un po' di mordente».

Guardai scettica nello specchio lisciandomi i capelli con tutte e dieci le dita.

«Guarda che mica diventano più lunghi, facendo così» fece Simone, cercando poi di addolcirmi la pillola con la storiella che così i miei capelli avevano un aspetto più sano.

«Bella roba» mormorai.

Ulrike, la mia consulente di moda personale, cercò tra i miei vestiti quello adatto per la serata, dopo che la mia scelta originaria aveva ricevuto ancora una volta la sua disapprovazione. «L'idea era quella di mettersi in tiro, no?» disse, e scambiò il mio maglione preferito tutto slabbrato con un top aderentissimo.

Ci volle praticamente un'eternità prima che noi tre Grazie fossimo finalmente pronte. Una più bella dell'altra, ce ne andammo a cena. Mentre mangiavamo, registrammo che c'erano parecchi tipi a caccia intorno. Non eravamo ancora alla fine dell'antipasto che già una tavolata di uomini ci omaggiò di una bottiglia di vino. Flirtammo scandalosamente con il tavolo dei gentili signori, all'altro capo della sala. Uno prese il coraggio a due mani e venne fin da noi per chiederci se avevamo voglia di andare con loro al leggendario 'Rote Kliff'.

«Perché no?» fece Simone tutta su di giri, e si accalappiò immediatamente il più carino del gruppo.

Tutte su di giri facemmo il nostro ingresso nella discoteca più rinomata di Sylt.

I ragazzi ordinarono dello champagne, e noi ci impadronimmo spavalde della pista. A un certo punto dovetti riparare al bar per far riposare i miei poveri piedi martoriati dal paio di scarpe nuovo di zecca. Bisognava ammettere che la musica in questo locale era veramente straordinaria.

Dondolandomi sui fianchi mi misi a cantare con grande trasporto: «*If you love somebody...*», che stava suonando in quel momento, quand'ecco che qualcuno mi batté sulla spalla. Mi voltai ancora cantando, ma il refrain mi morì in gola.

«Nuova pettinatura?» mi chiese Mike Badon.

«Sì» risposi fissandolo incredula. Era vero o era un piccolo scherzo della mia fantasia?

«Carina» commentò, e si allungò indolente sul bancone del bar.

«Da dove viene?» chiesi in confusione, candidandomi d'ufficio al premio per la domanda più deficiente del secolo. Mi sentivo le bollicine nel cervello.

«Da fuori» fece lui ridendo, e indicò la porta.

Nel momento in cui il suo sguardo incontrò il mio, nello stomaco si levarono sciami di farfalle. Sperai solo che il trucco coprisse ancora in qualche modo la scottatura sul naso.

«Siamo qui solo per il weekend» mi spiegò. Accanto a lui era apparsa una ragazza che si immischiò nel nostro dialogo.

«Hai trovato una vecchia conoscenza, Mike?» chiese con voce flautata.

Lui le mise un braccio attorno alle spalle e disse: «Sì, la signora Lano lavora per l'agenzia di Amburgo che si sta occupando del nostro ultimo lancio».

Lei si presentò amichevole: «Piacere, sono Susanne Badon».

Io annuii. 'Mike Badon è sposato' rimbombava nella mia testa. Naturalmente era biondissima, e anche se non era altissima, era bella almeno quanto Anita, la modella. Rimasi a fissarla imbambolata, cercando disperatamente di riscuotermi: «Piacere» balbettai.

Simone si avvicinò a noi ballando e versando champagne a tutto spiano dal calice che reggeva in mano. «E questo da dove salta fuori?» chiese con finezza.

Le presentai svelta Susanne e Mike Badon. Simone inclinò un po' la testa di lato ed ebbe ancora il coraggio di dire: «Ho sentito parlare molto di lei» mettendosi poi subito a ridacchiare per coronare il tutto. Le diedi di nascosto un pugno nel costato.

«Ah sì?» chiese con interesse Mike Badon.

Simone non si lasciò intimorire dalla violenza fisica e mi sussurrò all'orecchio a un volume che tutti poterono sentire: «Avevi ragione, è proprio carino!»

Guardai mortificata Mike Badon e tirai Simone per un braccio. «Be', noi ora dobbiamo proprio andare. Buon divertimento» gridai indietro mentre ci allontanavamo dalla coppietta.

Quando fummo nuovamente al nostro tavolo, Simone si mise a ridacchiare. «Davvero niente male» disse.

«E davvero sposato» replicai seccata.

«Non farne una tragedia, adesso. Ci sono altre mamme al mondo, con altri bei figlioli» cercò di consolarmi.

Ma ormai la serata era andata di traverso. Da lontano osservai Mike Badon immerso in una vivace discussione con la moglie, che mi sembrava diventare di minuto in minuto sempre più bella. Non mi rimaneva molto altro da fare che ubriacarmi.

Ore più tardi, quando lui se ne era ormai già andato da un pezzo, tornai a sedermi al bancone per vedermela a tu per tu con il mio destino. Accanto a me venne a piazzarsi un uomo che era una maschera di trucco. Sotto a uno strato pesante di cipria riuscivo a indovinare i peli della barba.

«Gli uomini creano solo problemi» gli buttai lì con aria di rimprovero, ormai completamente brilla.

«Già» fece lui staccando il mignolo dal bicchiere mentre lo sollevava per bere. «Il mio ragazzo mi ha appena mollata» mi confidò con voce da oltretomba.

Fantastico: era dell'altra sponda. Ci mettemmo a chiacchierare senza inibizioni delle nostre delusioni sentimentali e delle nostre anime ferite. Del resto, i nostri problemi erano tanto simili...

«Gli uomini sono tutti mascalzoni» gridò con voce roca, e io non potevo che essere d'accordo.

«Sì, gli uomini sono tutti mascalzoni» ripetei.

«Sono una manica di bastardi» chiosò lui.

«Tranne te» precisai. E salute.

«Non ci si può mai fidare» biascicò.

«Mai e poi mai» confermai.

«Soprattutto gli uomini» proseguì con logica inoppugnabile.

«Gli uomini in particolare» dovetti convenire.

«Non fidarti mai di un uomo» proseguì la sua tirata articolando a fatica le parole.

«Mai, lo giuro» scossi energicamente la testa e disegnai nell'aria un imprecisato gesto col braccio.

Dovette essere piuttosto difficile per le mie amiche strapparmi a questo profondo colloquio. Non ricordo più come fecero, ma alla fine in qualche modo ci riuscirono.

Tenendoci a braccetto, vagammo attraverso la notte.

Ulrike ridacchiava: «Be', la nostra Linduccia alla fine ce l'ha fatta ad agganciare un uomo».

«Non fai ridere. Almeno lui mi capiva» ribattei.

Simone mi strinse il braccio: «Ma anche noi ti capiamo, dolcezza. Vedrai che domattina la vita ti sembrerà molto meno drammatica».

Entrammo incespicando nell'albergo, e io mi lasciai cadere immediatamente sulle lenzuola a quadretti. «Qualcuna mi fa il favore di spegnere l'ottica girevole?» delirai mentre tutto ruotava selvaggiamente intorno a me.

Tirandomi per la gamba sinistra, Ulrike mi consigliò: «Metti un piede per terra, e vedrai che il carosello finisce».

Seguii senza discutere l'indicazione, e pochi secondi dopo mi ritrovai a strappar fuori dal bagno Simone per poter vomitare in pace almeno gli ultimi cinque bicchieri di champagne. «Sto tanto male» mi lamentai a denti stretti riemergendo dalle profondità del water.

Nessuna mi diede retta: le ragazze stavano sui letti con le orecchie tese.

«Ascolta!» ghignò Simone.

Capperi, nella stanza accanto partiva il treno.

«Così, così, di più» mugugnava la voce roca di una donna, a cui seguì un violento tramestio.

«Lui ci sta dando dentro di brutto» rise Ulrike accendendosi una sigaretta.

«È come al cinema, solo che non si vede niente» scossi la testa.

«Sì, sì, sì... ecco!» ripeté Simone, e spense la luce.

Il mattino dopo feci solenne giuramento che non avrei mai più, ma proprio mai mai più toccato un solo goccio d'alcol. Lo stomaco brontolò qualcosa in approvazione, e lo stesso fecero le mie amiche. Come tre naufraghe derelitte ci attaccammo al tubetto degli analgesici, che sciogliemmo con sciamanica cura nell'acqua. Dopo un boccone di pane fresco e una fresca boccata d'aria tornammo lentamente padrone di noi stesse.

All'imbarcadero incontrammo il mio compagno di sbornia. Sprizzava energia e vitalità da tutti i pori, ancheggiando in modo invidiabile. «È tornato tutto a posto: Rudi è rientrato stamattina».

E bravo. Che se lo goda, almeno lui.

Grande soirée

Qui ci voleva una bella seduta di autoipnosi. Sistemai in cima a una pila di libri sul tavolino del salotto il mio specchio da trucco. E ora, concentrazione. Mi guardai negli occhi e iniziai il monologo: «Bene, Linda, le cose stanno così: ti sei presa una bella scuffia per quel Mike Badon. Ma devi levartelo dalla testa. Innanzitutto è un cliente, e già questo sarebbe sufficiente. Non c'è un cliché peggiore: cliente e consulente è ancora peggio di capo e segretaria. Su questo non ci piove. E poi, Linda, l'hai visto coi tuoi occhi: Mike Badon è sposato. E questo mette una volta per tutte la parola 'fine' a tutti i tuoi bei sogni».

Feci dei profondi segni di assenso alla mia immagine riflessa nello specchio. Le mie cellule grigie erano tutte concentrate nello sforzo, ma purtroppo un diavoletto dal profondo del mio cervello continuava a mandarmi davanti agli occhi l'immagine di Mike Badon. 'Se solo non avesse quello sguardo caldo, quella bocca sensuale da riempire di baci, quella voce virile e quello stramaledetto modo di fare rilassato e indolente...'

Mi fissai negli occhi: «Ora basta! Datti una regolata».

Chi è quell'imbecille che crede nell'autoipnosi? Incavolata con me stessa spinsi via lo specchio.

Dovevo assolutamente fare qualcosa per me! Ma che cosa? Appena arrivata in ufficio, Anni mi consegnò una busta bella spessa. Ne uscirono una ventina di polaroid, tutte della mia sorellina. La chiamai in clinica.

«Che cosa mi rappresenta questo delizioso reportage?» le chiesi.

Baba mi spiegò trafelata: «Sono stata con Bernd nella miglior boutique in città. Non credi che io abbia bisogno di qualcosa di sensazionale da mettere per la cerimonia? Le foto le ha scattate Bernd. Volevo che mi dessi un parere su quello che ti sembra mi stia meglio».

Allargai ordinatamente sulla scrivania quell'incredibile serie di foto e passai in rassegna le varie combinazioni.

Baba sprizzante allegria in un tailleur nero con pantaloni. «Mmm, nero non mi pare il caso» commentai.

Baba smorfiosissima in un lungo abito rosso. «Non va con i tuoi capelli».

Baba speranzosa in verde, Baba carinissima in uno spezzato a pois, Baba in versione valchiria con una ruche che la metà basta. «Terribile» risi, e passai a scrutare con interesse la foto numero dodici, color guscio d'uovo, un abito semplice che metteva in risalto le forme.

«Eccolo qua» dissi trionfante. «Elegante per la cerimonia in comune, adatto per quella in chiesa e portabile anche in futuro».

«Sono d'accordo» si entusiasmò Baba. «Vedessi la gonna! Sembra fatta su misura per me. Allora siamo intese, sorellona: se non vuoi far la figura del carciofo sarà meglio che ti dia da fare anche tu» mi stuzzicò tutta allegra.

Esatto, era proprio così che mi sentivo: come un carciofo. C'era un solo modo per tirarsi su: shopping. Diedi un'occhiata alla mia agenda. La serata a teatro con il mio nuvolari degli annunci matrimoniali Gerhard cadeva a fagiolo: una scusa in più per fare qualche compera.

Mi presi il pomeriggio libero e come prima cosa controllai lo stato del mio conto in banca. Lo scoperto non passava esattamente inosservato. D'altro canto i debiti oggigiorno sono così chic... e poi a che serve avere una facoltà di scoperto se non la si usa? Mi misi in pace con la mia coscienza: un paio di vestiti ci sarebbero stati dentro senza troppi problemi.

Varcai eccitata la soglia di uno di quei negozi dove si consumano le orge dei peccati stagionali.

«Volevo una cosina nera, e forse anche qualcos'altro di carino» informai con grande precisione la commessa che mi si avvicinò.

Lei mi squadrò con occhio critico da capo a piedi. Be', chi si credeva? Dopotutto guadagnavo almeno tre volte più di lei ed ero evidentemente piuttosto bendisposta a spendere (pagamento con carta di credito, s'intende). E invece mi trattò come se non ne fosse del tutto convinta.

«Una quarantadue?» mi chiese inarcando le sopracciglia assottigliate dalla pinzetta.

«Quaranta, grazie» protestai.

«Come vuole lei» si mise finalmente in moto. Le andai dietro insicura, con lo sguardo sulla sua nuca tinta.

«Ecco qua l'ultimo grido di Parigi» sbuffò mettendomi sotto il naso qualcosa di nero.

Le mie dita scivolarono sulla parte bassa del vestito, che consisteva esclusivamente di una frangia. Mi immaginai come chiunque, quando l'avessi indosso, mi avrebbe fissato solo le cosce, e dissi dubbiosa: «Sì, bello, ma veramente avevo pensato a qualcosa di un po' meno osé».

Altro inarcare di sopracciglia. Eccomi bell'e che etichettata come 'antica': mi mise davanti un abbottonatissimo e noiosissimo modello da suora. E io che non so più neanche dove sarà andata a finire la mia bibbia della cresima...

Suonò il telefono, e la mia commessa gridò a una collega: «Heike, continui tu qui, per favore?» Emisi un sospiro di sollievo.

Questa Heike si mostrò molto più sensibile: «Per una serata a teatro? Elegante ma non vistoso? Ci penso io».

Così andava meglio. Nel camerino provai qualcosa di incantevole in *georgette*: scivolava che era un piacere. Lo mettemmo assieme al vaglio davanti allo specchio a parete. «Le sta molto bene, e con un paio di calze adatte...» disse Heike.

Lanciai un'occhiata alle mie calze nere di lana che rovinavano terribilmente tutto l'effetto. Tornai a guardare dritto davanti a me. Il reggiseno bianco trapelava impietosamente attraverso la stoffa delicata, ma anche a questo si poteva porre rimedio. Annuii convinta e mi guardai di lato. Il cartellino con il prezzo mi azzerò la salivazione, ma... al diavolo!

«Cercavo anche qualcosa per tutti i giorni» pregai Heike, che pescò con sicurezza dallo stand dei vestiti. Non era fantastica? Qualche minuto dopo stabilimmo che il look giapponese sembrava fatto apposta per me.

«Le sta benissimo, con i suoi capelli neri. Gli uomini le cadranno ai piedi!» scherzò Heike.

'Esatto, è quello il loro posto: devono strisciare sulle ginocchia' pensai. Sprimacciai la stoffa della giacca squadrata e mi chiesi come avevo fatto a non accorgermi prima degli stilisti giapponesi. Quando mi presentarono il conto lo capii immediatamente.

Geniale: la mia unica collanina d'oro stava da dio con il vestito. Entrai sicura di me nella Maserati di Gerhard, che mi salutò con un: «Sei bellissima: fai venir voglia di mettersi in ginocchio per chiedere la tua mano».

Lo sapevo.

A teatro mi abbandonai all'atmosfera del foyer: alle pareti c'erano delle foto enormi di attori vecchi e nuovi, illuminate da faretti potentissimi; nell'aria aleggiava un miscuglio di profumi, e gli spettatori scivolavano eleganti avanti e indietro, armati di programma. Al braccio del mio accompagnatore raggiunsi impettita il nostro palco.

«Ti piace Shakespeare?» chiese Gerhard.

«Lo adoro» risposi. «È sempre un piacere ascoltare le parole del grande maestro».

Ah, se avesse saputo che io non avevo mai letto un solo rigo di Shakespeare! Feci l'espressione più intelligente che potevo: «Sai, trovo che anche la letteratura contemporanea non sia tutta da buttare, ma le manca la profondità: è come se tutto fosse diventato molto più superficiale... Perciò di tanto in tanto è ristorante tornare a rivolgersi alle parole di Shakespeare, Goethe o Lessing» spiegai.

Be', almeno Lessing a scuola l'avevo letto, qualche volta: mi ricordo che avevamo interpretato per ore fino alla nausea la povera 'Emilia Galotti'. Gerhard annuì ammirato dalla cultura della sua accompagnatrice. Finalmente si spensero le luci, e si spalancò il sipario.

Strana lingua, pensai sforzandomi di seguire l'azione che si svolgeva sul palco. Così vecchia, così esagerata! Dopo la prima mezz'ora non sapevo più in che posizione mettermi. Mamma, che barba! Sbadigliando passai in rassegna con lo sguardo gli spettatori in platea. Oh, quel grassone in quinta fila non stava mica dormendo? Le signore erano molto più agguerrite: tutte dritte come fusi sulle loro poltroncine. Sbirciai con la coda dell'occhio verso Gerhard. Il cravattino era annodato alla perfezione. Trovo che gli uomini con il papillon siano sempre un po' ridicoli. Lui si voltò un attimo verso di me con gli occhi che gli brillavano per tornare subito a concentrarsi sulle vicende della scena. Che ci trovava, poi? Cercando di non dare nell'occhio controllai l'orologio. Non facevano intervallo? Nel frattempo avevo irrimediabilmente perso il filo, e presi a considerarmi un caso senza speranza. Naturalmente mi unii al frenetico applauso che seguì al termine del secondo atto, battendo le mani a più non posso. Finalmente l'intervallo. Gerhard era deliziato, tutto un brodo di giuggiole, mentre io cercavo disperatamente di imbattermi in un volto conosciuto. Senza successo, naturalmente. Non so come, ma ce la feci a sopravvivere anche alla seconda parte, e finalmente mi ripresi sollevata all'aria fresca fuori dal teatro.

«Ti è piaciuto?» chiese Gerhard.

Annuii: «Una messa in scena assolutamente riuscita: roba che ti arricchisce».

Che schifo, potevo essere falsa come Giuda!

«Sono assolutamente d'accordo. È bellissimo che anche tu sappia apprezzare queste cose. Avremo modo di divertirci così assieme molte altre volte» disse Gerhard cingendomi la vita con un braccio. «Che ne dici di andare da me a bere una coppa di champagne per coronare degnamente la serata?»

«Ma certo, perché no?» accettai. In fondo, il mio vestitino nero voleva farsi rimirare ancora un po'.

«Che sciccheria!» mi scappò detto ammirando l'arredamento di Gerhard.

Già la proprietà attorno alla casa mi aveva quasi tolto la parola. C'era un giardino a perdita d'occhio, e proprio nel bel mezzo questa splendida villa, che mi ricordava tremendamente la Casa Bianca.

«Sì, mi sento veramente bene, quando sono qui» ribatté Gerhard con modestia.

«Quel quadro là probabilmente vale più di tutto il mio mobilio messo assieme!» dissi rimanendo di sasso di fronte a un Picasso. «Ma è un originale?» chiesi.

Gerhard rise: «Certo. Vieni, ti mostro la mia collezione. Questo è un Mirò, l'ho acquistato l'hanno scorso a un'asta di Londra. Ma il mio preferito è il Monet» disse indicando un dipinto stupendo in una bellissima cornice dorata.

Passai con malcelata ammirazione davanti ai suoi tesori, e mi ritrovai a pensare al quadro nella camera da letto dei miei genitori. Si intitolava 'Girasoli nel vaso' e mostrava per l'appunto dei girasoli in un vaso. Mio padre, che l'aveva acquistato anni prima da un pittore renano, lo presentava sempre orgoglioso come un 'originale', visto che in fondo era un dipinto a olio e non la solita riproduzione. Ma questa roba qua, questa era di livello da museo.

Gerhard aprì con maestria una bottiglia di champagne, e ci accomodammo su un vecchio sofà.

«Empire» disse indicando i braccioli con aria da esperto. Ovvio, c'era da immaginarselo: qui persino il mio sedere stava su un capolavoro.

Gerhard guardò nel profondo dei miei occhi. «Sai che sei una donna veramente straordinaria?»

«Grazie» sorrisi svenevole accavallando la gamba destra sulla sinistra.

Mi prese la mano. «Hai delle mani così delicate. Non te l'hanno mai detto?»

L'avevo sentito dire almeno una dozzina di volte. «Trovi?» chiesi cercando educatamente di riappropriarmi della sinistra, ma senza successo: aveva una presa d'acciaio.

«Che profumo usi?» domandò scivolando sempre più vicino a me.

«Chanel» risposi osservando preoccupata il rimpicciolirsi della distanza tra di noi. Mi ritrovai in bilico sul bordo estremo dell'Empire.

«Salute a Shakespeare» dissi goffamente, cercando di salvare la situazione.

«No, a te, essere favoloso» sussurrò lui.

Mi alzai favolosamente di botto dal divano. Che intenzioni aveva? Proprio quella: infatti mi seguì a ruota. Mi aggrappai spasmodicamente al bicchiere di champagne che lui voleva sfilarmi di mano.

«Che facciamo, il tiro alla fune?» chiesi dopo qualche tira e molla.

«Ma no, volevo solo mostrarti ancora una statua nel corridoio» mi disse con una faccia innocente.

E invece al corridoio nemmeno ci arrivammo. Non appena il mio bicchiere toccò il tavolino – probabilmente un biedermeier, o forse un rococò – lui mi tirò a sé.

«Linda, o Linda» mi rantolò nell'orecchio.

Ne avevo definitivamente le tasche piene.

«Lo so come mi chiamo, lasciami andare adesso, per favore. Lasciami, Gerhard» dissi con voce ferma, cercando di divincolarmi. Ma lui mi ritirò tra le sue braccia senza pietà.

«Lo vuoi anche tu, lo so: lasciati andare» diceva, evidentemente in preda a un attacco di superomismo.

«Col cavolo che lo voglio! Lasciami andare una buona volta, cafone!» gli gridai in faccia.

Con le sue mani enormi cercava ora di afferrarmi il mento e di tirarlo verso la sua bocca.

«Solo un bacio, uno solo» supplicò tutto eccitato. Sarà anche vero che a baciare non si rimane incinta, ma se concedi le labbra a un uomo, quello poi vuole prendersi tutto il corpo. Riflettei veloce se come estremo rimedio avrei dovuto dargli un calcio in mezzo alle gambe o se era meglio cavargli un occhio, mentre lui si aggrappava lussurioso al mio seno. Alla fine, accecata dalla rabbia, lo colpii. Osservai soddisfatta il mio lavoro: l'impronta delle mie cinque dita ardeva rossa sulla sua guancia. «Ti basta o ne vuoi ancora?» gli feci combattiva.

Neanche un briciolo di paura: gli girai attorno coi pugni in guardia nel mio abitino nero.

Lui mi guardò inorridito, e si raschiò la gola. Poi mi disse accorato: «Linda, mi dispiace, non volevo farti un torto».

«E invece l'hai fatto. Credi che una serata a teatro giustifichi un attacco polipesco? Ma quante mani hai?» mi arrabbiai, e presi in mano la cornetta del telefono. «Adesso mi chiamo un taxi».

«Ma no, ti riaccompagno io» disse Gerhard cercando di strapparmi la cornetta.

«Ma certo, prima facciamo Le Mans e poi ci scambiamo anche il bacetto della buonanotte, vero? Grazie tante, ma preferisco prendermi un taxi».

Nell'atrio, mi voltai ancora una volta indietro.

«Devo rivelarti un piccolo segreto» dissi con voce melliflua. E poi proseguii spiccando con gusto ogni singola sillaba: «Il buon vecchio Shakespeare io non lo posso soffrire. Ah, e poi: hai il cravattino storto».

Un'uscita di scena alla grande, pensai una volta a casa. Ero ancora tutta sottosopra: 'Uomini del cavolo!' stavo dicendo tra me e me, quando mi cadde sotto gli occhi il dio balinese della fertilità.

«Bell'aiuto che mi hai dato!» lo rimproverai, e voltai la sua faccia ghignante verso il muro. «In castigo! E vedi di farti venire in mente qualcosa di buono per il futuro».

Il matrimonio

Colpi di tamburo. Battevano regolari al ritmo del mio cuore. E con loro suonava una melodia così dolce e magica che tutto intorno vibrava alle sue note. Nell'aria respiravo il profumo del gelsomino: dolce e avvolgente. Il mio vestito ondeggiava leggero nel vento notturno. Era come un telo avvolto intorno al mio corpo, che lo accarezzava. Ogni movimento in quella seta mi provocava un piacere indicibile. Sulla spiaggia ardeva un falò caldo e sfavillante. Sentivo il rumore della legna che scoppiettava e scricchiolava.

Mi girai lentamente insieme agli altri che indossavano le più diverse maschere. Un uomo con il volto selvaggiamente dipinto mi si parò davanti, senza toccarmi. I colpi di tamburo si fecero più forti. Un danzatore che portava una maschera nera dalla smorfia stravolta si stava avvicinando a me a grandi balzi. Un altro si frappose tra noi: era avvolto in un telo blu notte, e nel buio non riuscivo a distinguere il suo volto. Anticipava i movimenti bruschi del primo, facendomi da scudo. Osservai piena d'ansia la scena.

L'uomo con la maschera nera estrasse un pugnale che brandì contro il mio protettore emettendo un cupo suono gutturale. Mentre avanzava aprendosi la strada con il bagliore della lama, l'uomo avvolto nel telo blu gli saltò di lato strappandogli via la maschera. Alla luce del fuoco riconobbi il volto di Gerhard. Lo guardai terrorizzata: sentivo che stavo per perdere i sensi. Mi sentii cadere, come al rallentatore, finché non fui afferrata da forti braccia. Gli occhi di Mike Badon si posarono pieni d'amore sul mio viso.

«Che fai, dormi?» mi spaventò Hans riportandomi bruscamente alla realtà.

«Ma va'» protestai. «Solo un po' di training autogeno.

Farebbe bene anche a te, ogni tanto» dissi togliendo i piedi dalla scrivania.

«Badon non si è ancora fatto vivo? Le hanno accettate o no, le proposte che gli abbiamo mandato?»

«Boh. Lo chiamo subito» dissi con la mano già sul telefono. Decisi che non avrei detto neanche una parola su Sylt. Era una telefonata di lavoro, e di quello si doveva parlare. Tutto quanto riguardasse il privato lo avrei messo da parte: gelida come una vera professionista, ecco!

Tutta zuccherosa, cercai di addolcirgli la pillola: «Come lei stesso aveva avuto modo di sottolineare, signor Badon, il carattere del testo doveva essere più leggibile e lo slogan più pregnante. Devo ammettere che i suoi suggerimenti ci sono stati preziosi».

Messa giù così, lui ora non poteva che dare il suo okay. «Adesso sono perfetti, la ringrazio molto, signora Lano. È sempre più un piacere lavorare con lei. Ammiro molto il modo che ha di chiarirmi l'ultimo passo e di preparami a quello successivo».

'Ti tengo in pugno' pensai. A tanta magnanimità del cliente bisognava ora reagire rincarando la dose di melassa.

«Lei è molto gentile, è una vera gioia lavorare per lei. A proposito, volevo avvertirla che potrà trovarmi in ufficio di nuovo a partire da lunedì. Quindi le auguro in anticipo un buon weekend. A lei e... a sua moglie».

Riagganciai in fretta il ricevitore. Ero stata perfetta: ormai poteva levarsi dalla testa di fare il cascamorto complimentoso con me. Come se io non facessi altro che stare lì ad aspettarlo. Neanche per sogno: dopotutto il signorino era sposato!

Un'occhiata all'orologio mi confermò che si avvicinava l'ora della lezione di tennis. Proprio quello che ci voleva. Al centro sportivo indossai il mio costosissimo completo da tennis, modello Steffi Graf: se uno non gioca proprio come un campione mondiale, può almeno concedersi il lusso di vestirsi come se lo fosse. Ecco, ancora una sistemata alla fascetta elastica per asciugare le poco estetiche gocce di sudore sulla fronte, e via!

«Linda, il tennis è un gioco di gambe: muovile un po'» mi gridava il mio allenatore Rolf dalla parte opposta del campo.

Con il respiro affannato gli urlai: «Non rompere! Potresti anche giocare un po' nel centro, invece di andare sempre a beccare gli angolini!»

«Piega quelle ginocchia!» ordinò ruvidamente. «E stai sciolta sulle anche».

Le due cose assieme non creavano un effetto splendido.

«Ehi, non siamo a un corso di lambada! Devi essere elastica, leggera, mica sgambettare in giro come una ballerina di tip tap!» mi criticò Rolf urlando come un forsennato.

Saltellai leggera come una piuma per il campo, ed ero così concentrata a mettere in pratica le indicazioni per le gambe che non mi ero più preoccupata di tenere ben salda la racchetta. Mi fermai a guardarla con nostalgia mentre volava dietro alla pallina, fino ad atterrare con gran fracasso nel campo avversario.

Rolf scosse il capo. «Dove hai la testa? Sarai ben capace di coordinare gambe e braccia, no? Uno, la pallina è il tuo bersaglio. Due, sono i piedi che ti portano da lei».

Annuii convinta a quelle interessantissime rivelazioni, e per assicurarmi di aver capito bene, indicai le mie scicchissime scarpe da tennis e chiesi sorridendo: «Vuoi dire quelli lì?»

«Esattamente» ribatté lui serio, «e la racchetta devi stringerla con la mano destra. Porti indietro il braccio e poi lo fai scattare in avanti per colpire la pallina. Credi di riuscire a farcela, prima o poi?»

«Chissà, forse se ce la metto proprio tutta...» dissi sollevando in alto la racchetta.

«E non così da pappamolle: butta bene indietro quel braccio e dai una bella botta alla palla! Fatti venire in mente qualcuno che non puoi soffrire, immaginati di averlo davanti e fammi vedere tutto il tuo temperamento» mi infiammò Rolf.

Non aveva bisogno di ripetermelo due volte: gli tirai delle palle da fargli cadere i capelli!

«Una per Mike Badon» dissi realizzando il più bel dritto della mia vita.

«E questo per Gerhard» e seguì un'altra cannonata.

«Re Peter» gridai e mi ricomposi dopo un rovescio teso come una corda di violino.

Poi seguì ancora una bella serie di Mike. Volavo letteralmente sul campo come la più pericolosa castigapalline sulla faccia della terra.

«Avanti!» ordinai a Rolf che scuotendo la testa si era fermato a guardare la palla che avevo appena mandato a schiantarsi con gran fragore contro il soffitto.

«Cerca di controllarti di più» replicò lui.

'Ah, no! Non oggi' pensai continuando a darci dentro come una dannata. Ognuna di quelle piccole palle gialle aveva una faccia, che non aspettava altro che di essere colpita. La racchetta era incollata al mio palmo: io e lei eravamo una cosa sola, e assieme facevamo una strage di quelle palline viventi, gli davamo una bella lezione. Alla fine corsi incontro a Rolf sudata fradicia.

«Allora, come sono andata?» chiesi trionfante.

«Se avessi saputo che ti porti appresso tutta quell'aggressività non ti avrei detto di immaginarti qualcuno da colpire» rispose massaggiandosi l'avambraccio dove era andata a colpirlo dritta come una lama l'ultima pallina con la faccia di Gerhard, provocando una macchia rossa sulla pelle.

«Oh, mi dispiace tanto» risi, e lo abbracciai contenta.

Presi al volo l'ultimo aereo per Berlino, e alle dieci facevo il mio ingresso in casa di Baba.

La salutai con un: «Ciao sorellina, come ti senti l'ultimo giorno di nubilato?»

Lei mi guardò tutta seria: «Mah, se solo sapessi se sto facendo la cosa giusta... Pensa un po', magari un giorno mi tradisce. O se ne cerca una più giovane. O, tempo due anni, diventiamo una di quelle coppie che non hanno più nulla da dirsi. O un giorno si alza e non mi trova più bella. O...»

Decisi di interrompere la sua tirata catastrofale: «Sei nel panico, eh? È naturale. Adesso però smettila di stracciarti le vesti e strapparti i capelli: non siamo in una tragedia greca. Se pensi troppo ti verranno solo le rughe sulla fronte!»

Accesi la candela che era sul tavolo, spensi la luce del lampadario e assunsi un'espressione esoterica.

«Prenderemo le nostre precauzioni contro queste eventualità. Stai ben attenta» dissi tirando fuori dalla mia borsa i più diversi oggetti: «Per prima cosa verifichiamo i suoi sentimenti» dissi convinta allungandole una grossa margherita. «Sai cosa devi fare: 'M'ama, non m'ama', avanti!»

Logicamente avevo già verificato con cura che tutto sarebbe andato a buon esito, contando anticipatamente i petali. Quando sullo stelo non era rimasto che un petalo, Baba esalò sollevata l'ultimo «m'ama».

«Benissimo» feci io, «e ora ci facciamo un bel caffè alla turca».

Ci sedemmo eccitate una di fronte all'altra con il capo chino sulla tazza di Baba, che lei, una volta bevuto il caffè, aveva capovolto seguendo alla lettera le mie sapienti indicazioni.

«Adesso concentrati profondamente sulla domanda: 'Che ne sarà del mio amore?', e passa tre volte la mano distesa intorno al fondo della tazza» dissi seria. Rimasi a guardare divertita Baba che accarezzava a occhi chiusi la tazzina, poi la presi in mano e osservai le righe disegnate dal caffè sul fondo.

«Di' un po', da quando sai leggere i fondi di caffè?» chiese Baba scettica.

«Ti ricordi del ristorante greco di fianco a casa mia? Me l'ha insegnato la proprietaria. Non è stato un gioco da ragazzi, ma alla fine lei mi ha detto che possiedo dentro di me una dote naturale di preveggenza» le spiegai.

A dir la verità l'avevo solo osservata un paio di volte mentre lo faceva, ma questi sono dettagli: l'importante adesso era tranquillizzare mia sorella prima del gran passo. Mi appoggiai solennemente una mano sulla fronte e fissai intensamente la tazza.

«Hai dovuto percorrere un lungo cammino prima di poter vedere all'orizzonte i primi bagliori di felicità. Ma al momento giusto una forza potente ti ha guidata verso la verità».

Trovai che non ero niente male, nella parte della sibilla. Se solo avessi avuto appollaiato sulla spalla il gatto Paolino, sarei stata semplicemente perfetta.

Dopo aver tirato un profondo sospiro ripresi: «Guarda questa linea, la vedi?»

Baba annuì ansiosa.

«È disegnata molto chiaramente, larga e diritta: queste piccole curve sono pressoché insignificanti. Questo vuol dire che anche quando dovessero sorgere delle difficoltà non ti perderai mai e continuerai a seguire sicura il sentiero dell'amore, senza interruzioni. E quella di fianco è la linea del tuo compagno: guarda come segue armoniosa la tua! E alla fine» dissi indicando il fondo della tazza, «le due linee si uniscono. Insomma, affronterete assieme la vita a fronte alta, per trovare l'unità suprema».

E per completare l'opera feci degli ampi e significativi segni di assenso assorta sul fondo della tazzina, come a suggellare il vaticinio.

Anche Baba non smise di scrutare il fondo e chiese piano: «E i bambini?»

Trattenni a stento un sorriso. Se ora mi fossi lanciata anche in una predizione di fecondità probabilmente avrebbe mangiato la foglia. Bisogna sempre sapere quando è venuto il momento di fermarsi. Osservai seria la polvere rappresa di caffè: «Non riesco a capirlo. Del resto ci siamo concentrate sulla domanda relativa all'amore, e lì la risposta è stata molto chiara. Il resto dovremo rimandarlo a un secondo tempo».

Baba mi guardò soddisfatta e mi diede un buffetto tenero sulla guancia. Era molto più rilassata, e fui felice di aver messo su quel piccolo teatrino da strega.

«Bene, e ora non resta che dare un'ultima occhiata alle stelle. Sai bene che lassù come quaggiù siamo tutti parte di un meccanismo armonico che si muove in perfetta sintonia. Le costellazioni sono quindi uno specchio preciso della vita terrena».

La fiamma della candela ondeggiò leggermente, e io mi curvai sulla sua luce. 'Oroscopo di coppia' si intitolava il libro che mi ero portata dietro. Andai a pescare le informazioni più importanti: «Allora, non devi assolutamente tenere Bernd in gabbia. D'altro canto, per fortuna non appartiene a quei segni che hanno bisogno della libertà totale di svolazzare qua e là: è più un tipo concreto, con i piedi per terra, su cui si può fare affidamento. Saprà ascoltare i tuoi problemi. Saprà accettare le tue piccole pazzie, che a volte non prenderà troppo sul serio, aspettando semplicemente che ti passino. Ha bisogno della tua stima, quindi ogni tanto fagli dei complimenti, e non prendere tutto come dovuto o scontato. Oh, qui c'è qualcosa di molto interessante: è un amante sensibile e dolce. È vero?»

Baba ridacchiò e fece di sì con la testa. «In effetti...»

Mi rovesciai indietro e le accarezzai la mano. «Fortunella che non sei altro! Dai un calcio alla tua vita da single e lasciati infilare questo benedetto anello, una volta per tutte. Alla fin fine, sembra proprio che hai beccato quello giusto!»

Lasciai la mia sorellina per andare a infilarmi piano piano nell'appartamento dei miei genitori. Il mattino dopo raccontai alla mamma delle nostre notturne cospirazioni d'amore.

«Bimba mia, tu hai sempre certi grilli...» rise scuotendo la testa. Seduta sull'orlo della vasca da bagno la osservai mentre si cotonava la sua bellissima chioma rossa.

«Oh, mamma, se invece delle lentiggini avessi ereditato i tuoi bei capelli!» dissi sconsolata.

«Ma cara, anche i tuoi sono bellissimi» ribatté lei accarezzando la mia testa scura.

«Ma certo» risi io, «e secondo te che dobbiamo farne dei miei spaghetti, li lasciamo pendere giù o li tiriamo dritti in piedi per l'occasione?»

«Tiriamoli su» disse la mamma, e aprì il cassetto delle forcine. Ci mettemmo all'opera assieme, finché non mi ritrovai in testa un covone.

«Ma va', con 'sta crocchia qui sembro una portinaia berlinese!» protestai. Cercai così di creare qualche onda naturale a colpi di spazzola, cosa che mi riuscì almeno per metà. La mamma mi spruzzò ancora un po' di lacca nel nido per tenerlo assieme il più a lungo possibile, e finalmente tutt'e due ci dichiarammo soddisfatte delle nostre teste.

Per il papà la toletta fu più semplice, in compenso più dura fu la lotta con il primo bottone della camicia. La cravatta che aveva eletto per l'occasione tornò difilato nell'armadio al suono di uno scandalizzato «Ma Heinz!» da parte della mamma, che gli cercò poi un modello più adatto, subito indossato senza tante storie. Il papà per fortuna sapeva quando era meglio non creare problemi.

Salimmo in taxi piuttosto sollevati: nonostante l'atmosfera tesa – in fondo noi mica ci sposiamo tutti i giorni –

eravamo riusciti a superare le prime ore della giornata evitando ogni lite.

Arrivati davanti al comune, ci unimmo al piccolo drappello. Baba era semplicemente splendida: tutta raggiante davanti all'ufficiale di stato civile, nel suo attillato vestito color guscio d'uovo, e forte dei fondi di caffè della sera prima. La mamma si dominò magnificamente, e il papà assunse un'espressione di grande dignità.

'Non molto romantica, questa sbrigativa cerimonia civile' pensai mentre Baba e Bernd si scambiavano il 'Sì', là davanti come due piccioncini. Il papà guardò per terra, la mamma invece controllò tutto attentissima.

Ma adesso veniva il bello: davanti alla chiesa era già riunito tutto il parentado e tantissimi amici dei due sposi. Quando attaccò la marcia nuziale venni colta da un timore reverenziale: le note dell'organo mi toccarono il fondo dell'anima. Nel freddo della cappella scivolammo sui duri banchi e aspettammo che la sposa facesse il suo ingresso.

Baba marciò all'altare al braccio di papà, che la affidò a Bernd. Oh Dio, non riuscivo più a ricacciare giù le lacrime. 'Mia sorella si sposa' pensavo commossa, anche se in realtà era già sposata da un'ora. La mamma mi stava accanto, e frugava disperatamente nella borsetta, da cui finalmente estrasse un vero fazzoletto di seta. Per tutta la vita l'avevo vista sempre e solo usare fazzoletti di carta. E adesso...!

«Che bello» singhiozzò, e si mise sotto il naso il prezioso lembo di stoffa. Questo era veramente troppo, e persi definitivamente il controllo di me.

«Sì-ì-ì» feci appena in tempo a piagnucolare, e poi si aprirono le cataratte.

Quando il prete mise una sull'altra le mani di Bernd e Baba, mi aggrappai forte al braccio della mamma e non riuscii a vedere più nulla per via dell'inondazione di lacrime. Cercai di sbirciare il papà, che sedeva innaturalmente dritto e guardava fisso davanti a sé.

«Fazzoletto» sussurrai alla mamma che stava cercando di soffiarsi piano il naso nella seta.

Me l'ero immaginato: in borsetta aveva anche dei fazzoletti di carta. A quel punto iniziò la cantata generale, alleluia eccetera. Cantare e frignare contemporaneamente si rivelò piuttosto complicato, e finì col venirmi un potente singhiozzo. Cantai gli ultimi versi facendo a mia volta dei versi involontari, il che mi guadagnò un'occhiata severa del papà. A braccetto con la mamma seguimmo poi la giovane coppia fuori dalla chiesa. Mi sentivo senza forze e mi appesi letteralmente al collo di Baba per congratularmi con lei. «Sii felice» riuscii a mala pena a pronunciare con voce tremante. «Ti auguro tutto il bene di questo mondo. E... uuh» ricominciai a singhiozzare.

«Ma come sei conciata?» mi chiese ridendo.

Probabilmente uno zombi non era nulla, al mio confronto. Ombretto e mascara erano colati in piccoli ruscelli rigandomi di nero il rosa che avevo dato sulle guance. Anche l'aspetto della mamma non era migliore, così ci restaurammo reciprocamente mentre Baba e Bernd venivano bombardati di riso. Poco dopo, Bernd mi prese in disparte e mi chiese allegro scuotendosi il riso dai capelli: «Allora, cognatina, quando tocca a te?»

Io scossi la testa scontrosa: «Probabilmente mai. E poi guarda, a me il riso neanche piace. Preferisco la pasta».

Il cioccolato

Insomma, mi ritrovavo con un vero cognato. Meglio di niente. Al sicuro nel mio appartamentino ripassai mentalmente in rassegna la giornata più felice di mia sorella.

Almeno una cosa era certa: la prossima volta mi sarei procurata per tempo del rimmel resistente all'acqua. Se avevo la tendenza agli accessi di pianto in pubblico, che almeno non se ne scorresse via anche quel poco di dignità che mi rimaneva!

«Dignità» mormorai tra me e me. La maggior parte degli uomini ne aveva sicuramente meno di me. Baba era stata fortunata ad acchiapparsi una delle poche eccezioni. Sì, il Bernd era veramente roba di prima qualità.

«Davvero! Gli uomini sono come il cioccolato» decretai. Ti tentano con le loro infinite, invitanti variazioni. Alcuni all'inizio sembrano dolcissimi, come Gerhard mani di polipo, ma poi viene immancabilmente fuori che appartengono al tipo con il retrogusto amaro. E io che invece so apprezzare tanto le vere cose buone...

A proposito. Mi precipitai a frugare nell'armadietto di cucina. Dove era andato a cacciarsi? Dietro alla zuppa liofilizzata pronta in cinque minuti? No, ma forse era nascosto sotto alla scatola di purè in polvere, di quello praticissimo a cui bisogna aggiungere solo l'acqua.

Ah, proprio così! Cioccolato. Al gianduia. Il migliore. Questo se non altro manteneva quello che prometteva. Aprii avidamente la confezione. La crema al gianduia in particolare ha uno straordinario effetto consolatorio veramente unico. Il dolce ripieno che si scioglie in bocca è un vero e proprio balsamo dalle evidenti qualità taumaturgiche. Soprattutto se mangiato accompagnato da pasta al pomodoro.

Sbattei decisa una pentola piena d'acqua sul gas. Questa sera, eccezionalmente, si cucinava: la mia anima aveva bisogno di rifocillarsi.

Cosparsi montagne di parmigiano sul mostruoso Everest di pasta che torreggiava nel piatto: stupendo. Adesso ancora una barretta di cioccolato... mmm, la vita poteva essere davvero bella. E tutto si può ulteriormente migliorare: qua il telecomando!

Perfetto: una bella storia d'amore. Seguii con occhio accigliato come il capo geloso metteva in piedi un disgustoso intrigo ai danni della talentosa disegnatrice di moda alle sue dipendenze, per levarle di torno il giovane amante. I pantaloni iniziavano a stringermi in vita, così li scambiai con il pigiamone bello largo. Dal teleschermo si affacciava la triste protagonista, che ormai dubitava del proprio amore. Per consolarla le avrei volentieri allungato qualcuna delle patatine dal sacchetto che nel frattempo ero andata a pescare in cucina. Mi lasciai riassorbire dalla trama cercando di combattere a suon di coca la sete che mi avevano messo le patatine.

Oh, no: la poveretta si metteva anche a piangere. Era terribile, ingiusto e triste! Seguii toccata le sue pene e mi feci ancora un pezzetto di cioccolato. È incredibile le cattiverie che gli uomini non riescono a inventarsi! Scossi la testa mentre mi alzavo per un'altra puntatina al frigorifero: per chiudere, formaggio. E dopo magari uno di quei buonissimi vasetti di dessert alla fragola e rabarbaro con su un po' di crema alla vaniglia? Esatto!

Mentre ci davo dentro col cucchiaino, osservai soddisfatta come la mia protagonista trovava la prova delle malefatte del suo capo nel cestino della carta straccia, sì – roba da non credere – proprio nel cestino della carta straccia! Mi fregai contenta le mani: ah, adesso capirà tutto e lo sistemerà lei per le feste, la mia eroina!

Niente male, il caprino. Oh, mi ero scordata delle olive, che ci sarebbero state tanto bene. Non era ancora caduto il primo nocciolino nero nel posacenere che lei già stava facendo vedere i sorci verdi al suo carissimo capo. 'Brava' pensai, 'lei sì che ci sa fare'. Tanto di cappello, soprattutto a quella porta sbattuta con violenza e al fiero scossone della chioma stupendamente ricciuta. Be', il cioccolato era sempre cioccolato. Rimasi impietrita nel vedere che l'eroina si stava ora dirigendo verso il portone di casa del suo promesso.

«Non ti fermare» la incitai addentando un salamino. Vabbe', non poteva sentirmi, però suonò lo stesso alla sua porta. Aspettammo assieme. Eccolo che apriva. 'Sembra veramente a pezzi, il poverino' considerai spingendomi in bocca un pezzo di marzapane. Rimasero l'una davanti all'altro come pietrificati. Sentivo il dolore della loro pena. Straziata guardai, sperai, trepidai, sgranocchiai le ultime briciole sul fondo del sacchetto di patatine.

E finalmente eccoli abbracciarsi. Alla faccia del bacio! Per un momento mi si fermò perfino la masticazione. C'è qualcosa di più bello di un lieto fine? Spensi soddisfatta il televisore e feci sparire in fretta i resti della mia orgia di cibo.

Il mattino dopo feci il mio ingresso in ufficio un po' controvoglia, ma armata di una tavoletta di pralinato al latte e una alle nocciole e uva.

«Pene d'amore?» chiese Anni che doveva saperla lunga.

«Figuriamoci!» negai l'evidenza.

Il kaiser Peter aveva indetto una riunione, e io mi presentai ruminando al tavolo delle conferenze.

«Mangiar soli fa ingrassare» sentenziò Tom, e mi sfilò di mano una barretta di cioccolato.

«Allora, ragazzi» attaccò Peter con tono da padre della nazione, «sarebbe ora di fare qualcosa per il nostro amato lucido da scarpe».

«Come sarebbe a dire 'sarebbe ora'? Finché lui non ci comunica i suoi ultimi prodotti, da dove cominciamo?» chiese Hans scarabocchiando come al solito sul suo bloc notes.

112

«L'ha fatto, l'ha fatto. Eccovi una copia delle ultime ricerche di mercato con una descrizione dei nuovi prodotti. Il punto focale è la pelle scamosciata» spiegò Peter.

«Pelle di camoscio?» chiese Tom insospettito.

C'era da ridere: uomini e moda! Puah!

«I poveri camosci non c'entrano niente, Tom: è solo un modo di lavorare la pelle per renderla più morbida, come quella di un camoscio, appunto» gli spiegai.

«Il solito imbroglio, insomma» ghignò lui sotto i baffi.

Peter alzò rassegnato gli occhi al cielo, poi aprì un raccoglitore pieno di scampoli di pelle e mostrò al nostro autore dei testi la differenza tra pelle laccata, pelle naturale e pelle scamosciata.

In quella spuntò dalla porta la testa di Anni: «Linda, ti spiacerebbe venire un attimo? Ho al telefono il signor Badon, che insiste per parlare con te».

Un quadratino di noci e uva e la seguii fuori della stanza. «Sono Lano, mi dica».

«Mi dispiace disturbarla, ma dovrei sapere se ha già spedito alla rivista 'Freundin' gli impianti per la nostra inserzione» mi chiese Mike Badon.

«Sì, la pellicola è già partita» gli confermai a bocca piena.

«Bene, allora è tutto a posto» fece lui. «Un'ultima cosa: cosa intendeva dire la settimana scorsa con quei saluti a mia moglie?» chiese.

Guardai infastidita fuori dalla finestra. Era proprio il colmo: cosa faceva adesso, mi prendeva pure in giro? Perché diavolo avevo lasciato il cioccolato nella sala riunioni, maledizione!

Feci un bel respiro: «Cosa vuole che intendessi dire? Saluti vuol dire saluti. Ho avuto il piacere di fare la conoscenza della sua bella moglie a Sylt, non ricorda?»

Rideva. Che faccia tosta! Mi sentii andare il sangue alla testa.

«Ma signora Lano, lei a Sylt ha conosciuto Susanne Badon, mia sorella».

'Sorella, sorella' mi ronzò confusamente nel cervello. «Sorella?» chiesi quasi sillabando.

«Sì, lei non ne ha?»

«Baba» balbettai, «voglio dire Barbara, così si chiama mia sorella».

«Un bel nome. Okay, allora alla prossima. E grazie mille per l'informazione» salutò.

Riappoggiai lenta la cornetta sul telefono, poi mi diedi una manata sulla fronte. «Sorella» ripetei ancora.

«Tutto bene?» chiese Anni soprappensiero, continuando a battere energica sulla tastiera del computer.

«Bene, benissimo!» dissi saltellandole attorno, e le stampai un grosso bacio in fronte.

Anni mi guardò incredula: «Siamo impazzite, o cosa?»

Io scossi la testa e continuai a saltellare fino alla sala riunioni. Entrai nella stanza che Hans stava spruzzando nell'aria un po' di spray per pelle scamosciata. «Senza fluorocarburi!» tuonò come se fosse tutto merito suo.

«Interessante» lo assecondai.

«E piuttosto puzzolente» disse Tom andando a spalancare la finestra. «È già abbastanza dover lavorare ventiquattro ore al giorno facendo finta che sia un piacere: non è proprio il caso di farsi del male aggiuntivo intossicandosi con questo stupido spray di camoscio!»

«Tom: spray per pelle scamosciata, protettivo, impermeabilizzante e antimacchia» fece Peter con la voce grossa, sul punto di scoppiare in collera.

«Cioccolato?» cercai di blandire Peter allungandogli il resto della tavoletta, che sparì in un sol boccone nella sua bocca.

«A proposito» ghignò Hans staccando il foglio del blocco su cui aveva scarabocchiato per tutto il tempo. Tutti si precipitarono a vedere. Sotto al titolo 'Ciocco-Linda' c'era una mia caricatura sotto forma di botte da cui usciva la mia faccia con le guance esageratamente gonfie e le due mani completamente impiastricciate di cioccolato.

«Maledetto!» sibilai cercando di impadronirmi del foglio. Quando lo ebbi tra le mani, scappò da ridere anche a me. «Non mettetevi in testa strane idee, io rimango magra come un fuscello. Anzi, sapete cosa vi dico? Basta cioccolato: le carote grattugiate sono molto più buone e fanno anche bene agli occhi».

Tom fece gli occhi stralunati: «Bleah, che schifo: roba da macrobiotici. Non mi sarai mica diventata un apostolo del muesli e della soia?»

«Niente paura» ridacchiai, «non fosse altro che per rispetto del nostro cliente, il re del lucido da scarpe, non potrei mai indossare un paio di quei sandali da salutista militante! Ma, ragazzi miei, dovremmo tutti badare un po' di più alla nostra salute».

Peter chiese: «Chi te l'ha messa in testa questa roba, tua sorella dottoressa?»

«Proprio così» feci io raggiante, «e le sorelle sono una cosa fantastica, non credete?»

La telefonata

Le mie scarpe scollate in pelle scamosciata avevano un aspetto fantastico. Spazzolate per benino al mattino presto e spruzzate abbondantemente con il nuovo spray – sul balcone, naturalmente – mi avevano portata senza intoppi fino all'incontro con il cliente. Peter e io, ancora un po' traballanti per la levataccia e per il volo, ma comunque molto convinti del lavoro che avevamo fatto, presentammo al cliente le nostre proposte per la campagna. E il signor Friedrichs, l'amministratore delegato di questo impero del lucido da scarpe, rimase ben impressionato.

Peter mi fece notare che si stava facendo tardi: «Devi correre all'aeroporto».

Arraffai in fretta le mie carte. Bene, mentre i signori avrebbero continuato a discutere di futuri progetti, io dovevo tornare in fretta all'agenzia per sgobbare in preparazione alla fiera di Mike Badon.

«Se desidera la faccio accompagnare dal mio autista» offrì il signor Friedrichs, e poco dopo mi ritrovai a scivolare a bordo della sua limousine.

Al check-in all'aeroporto di Düsseldorf, tirando fuori il biglietto dalla borsetta, mi sembrò più leggera del solito. Feci un rapido controllo: la trousse del trucco c'era, il cicalino per sentire i messaggi della segreteria telefonica c'era, penna, fazzoletti, crema per le mani, l'agenda...

Mi venne un colpo! Era sparito il portafogli, con dentro tutta la mia vita: carta d'identità, patente, carte di credito e contanti. Odiavo quegli improvvisi, incontrollabili scarichi di adrenalina: il mio cuore prese a galoppare a tutta birra, le dita mi tremavano.

Riflettei febbrilmente. Ma certo, per tirar fuori l'agenda dalla borsetta, l'avevo mezza svuotata. E ora la mia vita intera stava là sul tavolo delle conferenze del produttore di lucido da scarpe. Maledizione!

Ma per fortuna si poteva ancora salvare la situazione.

Peter avrebbe preso un volo indietro il mattino seguente, e mi avrebbe riportato il portafogli. Dovevo chiamarlo subito.

«Oh, no!» Senza soldi come facevo a telefonare?

Incerta, mi guardai attorno nella sala d'attesa dell'aeroporto. Neanche una donna in vista, solo i soliti uomini d'affari malvestiti, per lo più con la faccia di chi ha la luna di traverso. Come prima cosa, fumarsi una bella sigaretta. Aspirai avidamente il fumo e pensai al da farsi. Mi vennero in mente quei tipi curiosi che nelle vicinanze delle stazioni o nelle strade commerciali ti si avvicinano con il fatidico: «Non ci avresti un marco da darmi?» Era quello che avrei dovuto fare anch'io adesso: che orrore!

'Linda, concentrati' cercai mentalmente di farmi coraggio. 'Tu non sei tu. Sei semplicemente una persona. Una qualsiasi, voglio dire. Cerca di avere uno sguardo cordiale e sincero. Ti basta un marco e la tua vita tornerà in ordine'.

Chiusi gli occhi e mi sforzai di immaginare una ragazza, che guarda caso mi assomigliava molto, e che si avvicinava a un uomo. Cosa avrebbe potuto dirgli? Avrebbe dovuto riassumere brevemente la propria situazione, inframmezzando qualche sapiente battito di ciglia qua e là, e la moneta avrebbe tintinnato. Cos'era in fondo un marco al giorno d'oggi? Deglutii.

Due sedili più in là uno con la faccia da antipatico leggeva il giornale fumando. 'Be', ci dovrà pur essere un po' di solidarietà tra fumatori' pensai. Presi a osservarlo meglio. Sentivo che stavo iniziando a sudare. Si avvicinava il momento della verità.

Dissi piano: «Mi scusi...»

Nessuna reazione. Maledizione, la gentile signorina avrebbe fatto meglio a non sussurrare!

Con voce sicura lo apostrofai: «Mi scusi se le rivolgo così la parola senza conoscerla».

Il tipo alzò lo sguardo dal giornale e mi guardò irritato attraverso le spesse lenti degli occhiali.

'Sorridi, sorridi' mi raccomandai. Mostrando tutti i denti balbettai: «Mi è successo un gran pasticcio, capisce?»

Quello continuò a fissarmi senza reagire.

«Vede, vengo direttamente da una riunione, dove ho dimenticato il mio portafogli... e devo assolutamente telefonare al mio capo, che me lo porti domattina ad Amburgo».

«Sì?» chiese sollevando le sopracciglia cespugliose.

«Sì» sorrisi ancora, «solo che appunto nel portafogli ci sono tutti i miei soldi, così in questo momento sono per così dire priva di mezzi». E giù con lo sbattimento di ciglia. La sua espressione cambiò improvvisamente da così a così. Aprì la sua valigetta consunta e ne estrasse un telefono cellulare. Il mio angelo custode doveva essere nei paraggi!

«Oh, è fantastico!» sbottai entusiasta.

Fece il numero per me e io spiegai in due parole a Peter l'accaduto.

«Mi permetterebbe di farne ancora una?» chiesi allo sconosciuto.

«Ma certo» fece lui magnanimo ingrossando il petto.

«Anni, per favore, rimani in agenzia finché non sono lì» raccomandai alla mia segretaria. «Devi prestarmi i soldi per il taxi quando arrivo dall'aeroporto, perché purtroppo ho dimenticato il portafogli a Düsseldorf».

Anche questa era fatta! E io invece ero sfatta, per via di tutto quel trambusto.

«Müller, Alfred Müller» si presentò il mio salvatore. Un nome da noioso, che gli stava a pennello. Sull'aereo scambiò abilmente i posti e utilizzò i cinquanta minuti di volo per rovesciarmi addosso tutti i suoi problemi di impiantistica termica. C'era da immaginarselo, che non me la sarei potuta cavare tanto facilmente: per due telefonatine striminzite dovetti sorbirmi quasi un'ora di segamento di nervi.

Anni rise, pagandomi il taxi: «Ti ho messo tutta la corrispondenza e i fax sulla scrivania. E poi ha chiamato Mike Badon, che ha lasciato detto di aver bisogno di te».

La cosa prometteva proprio bene.

Sarebbe stata la sesta nottata di seguito in ufficio. Non che a Badon le cose andassero meglio: nelle ultime notti avevamo discusso spesso dalle nostre rispettive scrivanie dettagli importanti per la fiera. Con gli occhi che già iniziavano a bruciare feci il numero di Mike Badon.

«Pronto?» rispose quella bella voce ormai familiare.

«Ho saputo che ha bisogno di me» scherzai.

Lui rise: «È vero, anzi, inizio già a sognarla di notte!»

«Quando le sarà passata la voglia di sognarmi solamente, me lo faccia sapere».

Oddio, era stata la mia voce a dire una cosa del genere? Quale diavolo mi aveva messo sulle labbra una frase tanto cretina? Silenzio. Mi sentii quasi male per l'imbarazzo. Come avevo potuto? Aspettai confusa una sua qualsiasi reazione.

«Come ha detto, scusi? Le dispiacerebbe ripetere?» chiese Badon.

Ci mancava solo questa. Come una macchinetta sputai fuori esattamente la stessa frase: «Be', ho detto che quando le sarà passata la voglia di sognarmi solamente, me lo faccia sapere». Dovevo essere impazzita. Sicuramente lui ora se la stava ridendo come un matto: di quella frase, di me e anche del mio imbarazzo.

«... Scusi, ho completamente perso il filo» fece lui.

Guardai una ragnatela sul soffitto. Linda, calma e sangue freddo!

«Scherzi a parte» ripresi io forse con una punta di intimità di troppo, «dobbiamo ancora vedere assieme i testi per le affissioni dei diversi modelli».

E ci mettemmo subito al lavoro.

«È tutto a posto per la parete di monitor?» chiese lui.

«Sicuro, ho ordinato i monitor più grandi che erano disponibili. Verrà fuori una cosa fantastica» lo rassicurai in fretta.

«Quando pensa di arrivare a Monaco con i suoi colleghi, signora Lano? Abbiamo già fatto riservare delle stanze in un hotel con cui siamo convenzionati. Ce ne sono ancora alcune libere. Se vuole unirsi a noi, il nostro signor Fischer si occuperà della cosa. Non deve far altro che chiamarlo, se vuole prenotare una camera».

«Ottimo, grazie» risposi riproponendomi di chiamare l'indomani stesso al mattino per organizzare il tutto.

«Allora non mi resta che augurarle una buona notte» terminò lui la telefonata, e io ricambiai il saluto.

Dopo aver messo giù, appoggiai la fronte al computer. 'Linda, tu sei e resterai nient'altro che una stupida gallina. Come hai potuto dirgli una simile idiozia?' Ripensando alla telefonata mi diventarono rosse le guance a scoppio ritardato. È inutile: contro l'impulsività dell'ariete c'è poco da fare. 'Prima o poi finirò con il rimetterci le penne, al telefono. Forse per un po' dovrei tornare a comunicare solo per lettera: lì è più facile controllare che il cervello rimanga sempre acceso'.

Il compleanno

«Di' un po', mio piccolo Hans, tu hai degli amici a Monaco, vero? Durante la fiera vuoi dormire da loro o preferisci stare in albergo?» gli chiesi mentre era immerso in un disegno.

Lui levò appena gli occhi. «Naaa, niente albergo. I miei amici vivono dove c'è vita: è lì che mi voglio acquartierare. E anche Tom».

Bene, allora avevo bisogno delle stanze solo per me e Peter. Fischer, il collega di Badon, nonostante lo stress fu molto gentile: «Nessun problema, signora Lano, le prenoto subito da noi all'hotel Annabella».

Bene, anche questa era fatta. Almeno sul lavoro le cose sembravano funzionare. Sfogliai l'agenda. Che bellezza! Per dopodomani avevo diciotto invitati per l'immancabile festa di compleanno. Dove andavo a pescare cibo e beveraggi in tempo record? Mi venne in mente Nick, uno dei miei trascorsi.

Al telefono rispose una voce di donna: «Nick's Partyservice, buongiorno».

«Buongiorno, sono Linda, vorrei parlare con Nick».

«Aspetti un attimo che glielo chiamo».

«Chi parla?» tuonò la voce da macho di Nick.

«Oh, ciao Nick, sono Linda. Volevo invitarti dopodomani al mio compleanno» gli cinguettai allegra.

«E non è che per caso avrai anche bisogno di un po' di sostegno tecnico, vero?» mi chiese sospettoso.

E va bene, erano dieci mesi che non mi facevo viva, ma neanche lui, se è per questo!

«Be', ora che mi ci fai pensare... non sarebbe una cattiva idea. Molto probabilmente io non avrò tempo per mettermi a spignattare».

Nick si mise a ridere: «Per carità! Se va bene non sei mai andata oltre la seconda pagina del libro di cucina, o mi sbaglio?»

«Be', vorrà dire che ho altre qualità!» replicai piccata. «Seriamente: ho bisogno di vino, acqua e qualcosa da mangiare per diciotto persone. A un prezzo superspeciale per ex fidanzate, d'accordo?»

«Ma certo. Come sei messa a piatti e bicchieri?» si informò.

Passai mentalmente in rassegna il mio corredo: quattro bicchieri da vino, tre bicchieri da acqua – ma quello sbeccato non contava – e due coppette di cristallo della nonna, di più non c'era.

«Sono messa male» ammisi. «Puoi portarmi tu qualcosa in prestito?»

«Per te questo e altro! E quando si incomincia?»

Ci pensai sopra un attimo: «Il party inizierà alle otto, che ne dici di venire verso le sette?»

«Agli ordini! Allora a dopodomani».

Sprofondai sollevata nella poltrona. 'Come fanno quelle nelle mie condizioni che non hanno un ex nella gastronomia?'

Il giorno del mio compleanno venni svegliata dal telefono. «Happy birthday to you, happy birthday to you, happy birthday dear Linda, happy birthday to you» mi canticchiò una bella voce.

Non poteva essere che Ulrike. Rimasi ad ascoltare la canzoncina, e intanto mi montava dentro una commozione indicibile.

«Ancora un po' e mi mettevo a piangere. Sei davvero un amore. Posso abbonarmi al tuo servizio di sveglia per tutti i giorni dell'anno?» chiesi ridendo.

E lei allegra: «Ma sicuro! Sarò il tuo disc-jockey personale. A proposito, non vedo l'ora che sia stasera, per la tua festa! Racconta un po' chi hai invitato».

Per prime elencai le ragazze, e poi passai agli uomini: «Allora, i miei inseparabili colleghi Hans e Tom, e poi Nick, Andreas, Harald, Steven e Lars. E poi anche Michael e Jan, che non conosci ancora. Ho lavorato con loro nel corso delle ultime riprese in studio.

«Allora ci mettiamo giù eleganti, eh?» chiese, e subito seguì una rapida consultazione su quello che avrei dovuto indossare.

Arrivai in agenzia puntuale con mezz'ora di ritardo: era il nostro cosiddetto 'privilegio del festeggiato'. Anni fu la prima a gettarmisi al collo.

«Tanti auguri, Lindina, e che tutti i tuoi sogni si avverino» disse seria.

«Grazie mille, Anni» ribattei mentre lei mi trascinava nel mio ufficio. Guardai stupita il mio posto di lavoro, completamente trasformato: sulla scrivania troneggiava una torta gigantesca con le candeline accese (opera di Anni); e per il resto, sembrava una selvaggia giungla di carta. A un filo da bucato teso in lungo e in largo per l'ufficio erano appese con delle graffette le pagine strappate da un'agenda, su ognuna delle quali tutti avevano eternato i loro auguri. Mi misi a leggere emozionata mentre tutti i colleghi mi avevano ormai raggiunta e si stringevano intorno a me: «'Rimani come sei. Tuo Karl'. Grazie, Karl, sarà un compito facilissimo da assolvere! E qua cosa c'è? 'Un nuovo anno da sogno per la più affascinante pubblicitaria del mondo. Tom'. Ehi, questo sì che è un complimento, grazie! 'Su la testa, vecchia quercia: vedrai che prima o poi ce la farai anche tu!' Che carino sei, Hans! Puoi scommetterci, che ce la farò» commentai la sua piccola insolenza. Suse, la consorte del kaiser, aveva scritto: «Tanti auguri», che confermava una volta di più la sua incredibile originalità. Apparve anche il boss, con una bottiglia sotto il braccio. Mi rifilò in mano lo champagne e mi abbracciò forte. «Auguri! Ecco un goccio di quello buono. Alla tua salute».

Ero veramente commossa. «Siete tutti fantastici. Vi ringrazio tantissimo».

«C'è anche un regalo per te» disse Hans allungandomi un pacco gigantesco.

Non appena iniziai ad aprirlo, sui visi dei cari colleghi si allargò un ghigno. Nel pacco gigante ne era contenuto uno grosso. Nel grosso uno un po' più piccolo, che a sua volta ne conteneva uno più piccolo ancora. Ho sempre adorato le scatole cinesi, e a furia di scartare stavo morendo dalla curiosità. Alla fine trovai un coperchio. Lo sollevai e apparve della finissima carta velina. Anni ridacchiò. Eliminata la carta apparve... avrei dovuto immaginarmelo! Tra le risate scomposte di tutti quanti estrassi un reggicalze. Un fermaglio era stato sostituito con uno degli orologi della nostra campagna.

Tom mi provocò: «Avanti, festeggiata, adesso devi indossarlo!»

Dal gran ridere non riuscivo nemmeno a parlare, e mi limitai a scuotere forte la testa. Staccai l'orologio e me lo allacciai al polso. «Mi spiace, Tom, ma potranno vedermi indossarlo solo pochi fan sceltissimi».

La sera Karl mi aiutò a caricare l'auto, che quasi scoppiava. Lui portò il cesto megagalattico di cibarie inviatomi dal signor margarina Domann. Oltre alla nuova variante dietetica c'erano dentro anche delle leccornie deliziose, da paté di fegato d'oca a carciofini sott'olio e persino un vasetto di caviale. Eh, sì: il signor Domann di cibo se ne intendeva. Io invece portai in braccio il mazzo di fiori dell'agenzia, che posai delicatamente sul sedile posteriore. E adesso, di corsa a casa!

Osservai attentamente i movimenti dei ragazzi del Nick's Partyservice che stavano trasformando sapientemente il mio appartamento in un ristorantino. Non dovetti neanche alzare un dito: stapparono per me persino la prima bottiglia di vino.

«Perfetto» sorrisi soddisfatta e allungai ai due zelanti fantasmi una bella mancia. Guardai assorta dalla finestra, assaporando la quiete prima della tempesta. Sola soletta.

Dallo stereo si diffondeva una melodia dolcissima, e io mi cullai al suo ritmo. Mmm, il vino era veramente eccellente.

Mi venne in mente Mike Badon. «Signora Lano, le faccio tanti auguri di cuore» mi aveva detto al telefono. Chi gli aveva spifferato che era il mio compleanno? «Di cuore» mormorai. Come l'aveva detto bene. 'Andiamo, erano solo degli auguri!' cercai di riportarmi con i piedi per terra, quand'ecco che il campanello mi strappò dai miei pensieri.

Erano venuti proprio tutti. I regali si accumulavano, il vino diminuiva.

Ulrike mi trascinò in cucina: «Di' un po', questo Jan sembra un tipo mica male. Ce l'ha la fidanzata?»

«Non credo. Ma attenta, che è un furbo coi fiocchi!»

Lei rise: «Perché, io no?» E tornò indietro verso la sua nuova conquista.

Nick mi abbracciò: «Ehi, baby! Che ne diresti di un piccolo party privato per noi due soli, quando se ne saranno andati tutti, eh?»

Alzai gli occhi verso di lui: «Via, Nick, ci sono errori che non bisogna per forza ripetere due volte».

Lui alzò offeso le spalle e si allontanò. Simone flirtava con Hans, Tom ci provava con Gabi, Ulrike stava ipnotizzando Jan, e io fotografavo diligentemente tutto intorno a me. Clic, ecco Simone che si concedeva ancora un pezzetto di quiche. E clic, Steven sbirciava curioso nello spacco di Gabi. Un clic anche per Nick che nel frattempo era andato a farsi consolare da Anni e le stava raccontando qualcosa di mondano con ampi gesti delle braccia. «Oh, scusi» disse facendole cadere per terra il bicchiere.

Poco male, tanto era uno dei suoi. Mi diressi al telefono che suonava già da un bel po'.

«Tanti auguri di buon compleanno, bimba mia. Sai dove eravamo trent'anni fa in questo giorno?» mi cantilenò la mamma dalla cornetta.

«Certo, mamma, all'ospedale. E, nonostante l'ora, gridavo come una matta. Proprio come stasera: c'è il pienone qui!» mi giustificai.

La mamma si abbandonò ad altri ricordi: «Eri cooosì piccola. Con delle ditina minuscole. E non avevi neanche un capello».

Risi: «Per fortuna che nel frattempo sono un po' cambiata!»

Anche il papà volle salutarmi, e lo fece in modo davvero commovente. Clic fece il telefono, mentre io stavo ancora mandando tanti bacetti idioti ai miei dolcissimi genitori.

Alle tre del mattino ero finalmente riuscita a buttare fuori tutti. Grattai ancora via un po' di cera dalla moquette, staccai una fetta di salmone che si era incollata al cuscino del divano e misi i piedi in alto, distrutta. Adesso mi sentivo davvero più vecchia di un anno.

I preparativi

«La giornata lì si inizia con una bella colazione a base di würstel bianco» già pregustava Tom qualche giorno dopo, mentre si parlava del nostro imminente viaggio a Monaco per la fiera. L'idea mi fece rivoltare lo stomaco, ma tanto ero già nervosa per i fatti miei.

«Te la danno una tazza di caffè, almeno?» chiesi preoccupata.

Hans si piegò dal ridere: «Un buon boccale, vorrai dire!»

«Cosa, birra a colazione?» Strano popolo, questi bavaresi.

«Ma certo, e spillata a regola d'arte!» spiegò Tom.

Perché no, in fondo? A volte il mondo si poteva sopportarlo solo da brilli. Raccolsi concentrata ancora qualche preventivo che avrei dovuto assolutamente sottoporre a Mike Badon a Monaco, e salutai i due colleghi.

A casa cercai di stabilire un piano preciso delle cose che dovevo ancora fare. Bisognava coordinare al meglio tutti i preparativi perché il programma di bellezza che avevo in mente sortisse l'effetto desiderato.

Allora, per prima cosa sotto la doccia: peeling totale. Raschiai quei piccoli granelli abrasivi dappertutto sul mio corpo, finché non diventai rossa come un gambero. Pazienza: se bella vuoi apparire, un po' devi soffrire. La pelle era ormai quasi insensibile, quando le sparsi sopra copiosamente del delicato gel da doccia rigenerante.

I piedi! Ancora un po' e me ne scordavo. Cercai alla cieca la pietra pomice e attaccai le piante. Dovevano diventare morbidi come il culetto di un bebè. I capelli li massaggiai con un balsamo tonificante alle proteine, nella speranza di donare loro un'irresistibile brillantezza. Uscii distrutta dalla cabina della doccia e mi avvolsi un grosso asciugamano in testa. E giù con la crema nutritiva per il corpo! Dopo quel trattamento la mia pelle ne aveva proprio bisogno: ne spalmai in gran quantità dappertutto, in special modo su ginocchia e gomiti. E ora, il viso. Lo impiastricciai accuratamente con una maschera per la pulizia. Chissà poi perché le maschere per la pulizia devono sempre avere quel verde schifoso, stavo riflettendo, quando suonarono tre volte alla porta. Simone o Ulrike? Fu Simone a entrare come un turbine dalla porta: «Ma come sei conciata?» rise.

«Come un mostro, ma ancora per poco: vedrai dopo! Raccontami qualcosa, che la maschera deve star su ancora dieci minuti. Io non posso parlare più perché si sta indurendo tutto».

Mi sedetti davanti a lei nel mio accappatoio, verde e irrigidita.

Simone piegò la testa da un lato e mi osservò attenta: «Domani vai a Monaco, vero?»

Feci segno di sì con la testa.

«Mmm... e non ti starai certo sottoponendo a questo programma di bellezza per Peter, Tom o Hans, vero?»

Feci innocentemente spallucce.

«Senti, a me non la dai a bere! Tu hai ancora in testa il tuo cliente, quel Badon».

Nel frattempo la maschera era indurita a tal punto che con tutta la buona volontà non avrei potuto muovere più un muscolo. Indicai la maschera con un dito e mi affrettai in bagno. Mica facile liberarsi di quel cemento! Quando finalmente ci fui riuscita, spalmai, come da istruzioni, uno spesso strato di crema idratante. Che bellezza! Munita, tanto per cambiare, di una maschera rosa confetto, tornai a far compagnia a Simone.

«Dove eravamo rimaste?» chiese lei come cadendo dalle nuvole. Io attaccai a limare laboriosamente le unghie.

«Dunque, Mike Badon» riprese a trapanare Simone.

«Sì?» Le lanciai uno sguardo interrogativo per poi tornare subito a occuparmi dell'unghia del pollice.

«Starai nel suo stesso hotel?» chiese la mia amica.

«Come tutti quelli della sua ditta e il mio capo Peter Riegener, naturalmente».

«Naturalmente» fece lei ironica.

«Mi passeresti lo smalto, per favore?» cercai di cambiare argomento.

«E cosa hai in mente di fare?» chiese Simone.

Scossi la boccetta nell'aria. «Be', mi metto lo smalto sulle unghie, no?»

«Questo lo vedo. Intendo dire a Monaco. Stai tramando qualcosa, non me la racconti giusta, Linda».

La guardai annoiata: «A dire la verità, non ne ho proprio idea. Sì, hai ragione, mi piacerebbe poter rimanere con lui almeno cinque minuti da sola, ma non so *se* né *come* ci riuscirò».

Simone ridacchiò: «Allora sarà il caso che ci facciamo venire in mente una piccola strategia. Dunque, prima di tutto: il momento. Dev'essere di sera. Andrete a mangiare tutti assieme?»

Riflettei ad alta voce: «Be', la seconda sera, dopo che avremo alle spalle il primo giorno di fiera, probabilmente Peter inviterà il suo cliente insieme a Hans, Tom e me. Hans e Tom non staranno in albergo insieme a noi, per cui non sarà difficile liberarsene. Ma che faccio con Peter?»

Ci mettemmo a riflettere; il mio stomaco rumoreggiava dalla tensione.

«Presto, dammi una sigaretta, o mi mordo le unghie!» sospirai.

«Il tuo capo non è più un ragazzino. Si stanca presto?» si informò Simone che, contagiata dal mio nervosismo, se ne era accesa una anche lei.

«Se si stanca presto? Credo di sì. Dopo una bella cena probabilmente vorrà solo buttarsi sul letto» risposi.

«E allora subito dopo cena proponi di andare da qualche altra parte. Parla di una discoteca, o qualcosa del genere, vedrai che a Peter scapperà la voglia».

«Ehi, non è mica una cattiva idea» trovai. «E se anche il Badon vuole tornarsene in albergo?»

«Be', allora vuol dire che te lo puoi scordare. Però devi almeno provarci, coraggio!»

Feci un gran sospiro.

Simone se ne andò ridacchiando: «Buona fortuna, dolcezza!»

Mentre lavavo via i resti della maschera idratante, ripassai a mente il nostro piano. Poi, seduta sul coperchio del water, controllai le unghie dei piedi, appena tagliate. 'Cosa diavolo stai combinando, Linda? Tutti questi grandi preparativi solo per Mike Badon?' Dopo essermi data una crema per la notte, mentre rovesciavo sulla punta delle dita il contenuto di un'ampolla di lozione contro le rughe per gli occhi, notai che le mani mi tremavano.

A Monaco splendeva il sole. Re Peter era di ottimo umore e si fece convincere di buon grado a concedersi una colazione ritardataria. Si occupò Hans delle ordinazioni. E ora eccolo lì sotto il mio naso: un würstel pallido pallido. Tom ci spiegò come liberarlo della pelle. Un po' schifata armeggiai alla meglio con quel coso tremolante.

«Ma è buonissimo!» dovetti ammettere con stupore, e buttai giù un bel sorso di birra.

Peter si rivolse a me: «Linda, mettiamo giù un piano: stanotte saranno ancora tutti presi dall'allestimento dello stand; domani è il gran giorno, e credo che in serata dovremo invitare a cena Mike Badon. Puoi occuparti tu della cosa?»

Annuii con la bocca piena. «Okay. È una buona idea. Adesso però dovremmo andare direttamente alla fiera per vedere se tutto fila liscio. Lì gli farò l'invito a nome suo, per domani sera». L'inizio era fatto. Ancora una gran sorsata di birra, e via!

Nel taxi mi cacciai in bocca due mentine, per cercare di coprire l'alito. Alla fiera, dopo aver passato tutti e quattro il controllo d'accesso, ci infilammo subito nel padiglione gigante che avevano affittato i nostri clienti. Intorno a noi fervevano i preparativi: operai spingevano pareti divisorie, collegavano cavi, trapanavano buchi e montavano faretti. Trovammo Mike Badon che stava controllando l'assemblaggio della parete di monitor. Peter gli andò incontro tutto contento, con la mano tesa in avanti. «Buongiorno, signor Badon. Allora, tutto bene?»

Badon aveva un aspetto molto stanco, tuttavia sembrava soddisfatto. «Sì, abbiamo ancora una lunga notte davanti a noi, ma tutto sembra andare per il meglio. Buongiorno, signora Lano. Guardi qua la parete di monitor, non è fantastica? Tutto merito suo!»

Gli sorrisi. «Grazie mille, sono contenta che abbia funzionato tutto quanto, soprattutto con i tempi. Sono arrivate anche le gigantografie?»

«Sì» disse, e mi fece segno di seguirlo: «Venga con me, che gliele mostro».

Mi portò nell'altra metà del padiglione, dove splendevano già sotto i riflettori i primi orologi con le decorazioni. Alle pareti stavano montando i poster. «Bello, no?» chiese.

Feci un'espressione di approvazione: «Sa, dopo tutto lo stress di queste ultime settimane, ora sono veramente sollevata. Spero proprio che per voi la fiera si riveli un successone!»

«Lo spero anch'io» ribatté lui.

Era maledettamente bello: non l'avevo ancora visto in jeans e maglietta, e gli stavano da dio. Dovevo assolutamente portare il discorso sulla sera del giorno dopo.

«Ah, signor Badon» attaccai con circospezione.

Lui mi guardò dritto negli occhi, e il mio cuore perse qualche colpo.

Il 'Glöckl'

«Buongiorno, signora Lano. Sono le otto» mi svegliarono per telefono dalla reception il mattino dopo.

Guardai il posacenere colmo dalla sera prima e mi precipitai a lavarmi i denti. Fuori infuriava un grigio tempo d'aprile, ma niente avrebbe potuto rovinarmi la giornata. Avevo davanti un giorno eccitante, che avrei affrontato nel mio più chic completo a pantalone.

Hans e Tom passarono a prenderci in albergo, e quando entrammo tutti assieme nel padiglione della fiera, ci mancò il respiro. Durante la notte era cresciuta una magica città di luci e di colori.

«Straordinario» disse Peter soddisfatto di sé.

Ovviamente a lui sembrava ancora una volta tutto merito suo. Il presidente, che non avevamo mai più visto dal giorno della nostra presentazione a Francoforte, ci venne incontro e strinse energicamente la mano a Peter. «Signor Riegener, devo dire che ha fatto un lavoro magnifico. Non avevamo mai avuto un allestimento di questo livello, prima d'ora: complimenti!»

Peter reagì prontamente: «Ma la prego: per noi è stato un compito fantastico, che ci ha molto divertiti».

Hans mi lanciò un'occhiata carica di significati, che ricambiai di cuore. Sì, anch'io in quel momento avrei dato volentieri a Peter un bel calcio nel sedere. Il lavoro da schiavi lo avevamo fatto tutto noi, sacrificando il nostro tempo libero, e ora lui si beccava tutta la gloria. Che faccia di bronzo!

Me ne andai con Tom alla parete di monitor. Sullo schermo Anita, moltiplicata per nove, si stava proprio in quel momento infilando le calze bianche di seta. Attorno a noi origliammo i primi commenti degli acquirenti al filmato.

Un ciccione, probabilmente un gioielliere di provincia, grugnì: «Oh, oh, oh».

Accanto a lui un esemplare più giovane ma altrettanto panciuto disse: «Che figata!»

La donna al suo fianco, probabilmente la moglie, fece: «Spiritoso no, Bert?»

Bert annuì entusiasta.

Tom si intromise: «E gli orologi li potete trovare laggiù». La coppia si diresse ubbidiente allo stand commerciale.

«Tombola!» urlò entusiasta Tom, e mi offrì le cinque dita.

«Siamo dei geni» e le colpii con forza. Aveva tutta l'aria di diventare un gran successo.

Peter mi accompagnò a visitare le altre collezioni della ditta. «Che ne dici?» mi chiese indicando una catenina d'oro con un pendaglio di zaffiri. «Credi che piacerebbe a Suse?»

«Un po' troppo modesto» risposi perfidamente, e attirai la sua attenzione su un altro pezzo in esposizione, una catena d'oro spessa come un cingolato con rubini e splendidi brillanti attorno a cui si attorcigliava un filo d'oro bianco. «Ecco!»

«Ma costa un occhio della testa» protestò lui.

Io risi e lo provocai: «Ma Peter, per Suse anche il meglio è troppo poco».

Alla fine arrivammo al palcoscenico e prendemmo posto sulle sedie sistemate lì di fronte. Attesi ansiosa l'inizio della sfilata dei gioielli. Si aprì la tenda e apparve Mike Badon con un microfono in mano. Alto e snello, in un completo nero, guardò tra il pubblico e si fermò un attimo con gli occhi su di me. Io lo fissai senza distogliere un secondo lo sguardo.

Salutò con disinvoltura gli astanti e attaccò a spiegare accuratamente la prima collezione di diamanti. Alle sue spalle apparvero due modelle. Bionde. Io attorcigliai nervosa una delle mie ciocche scure. Hans rantolò: «Belle figliole» mentre le due, coperte di catene e bracciali da sogno, scivolavano sul palco.

Poi uscirono altre tre mannequin che indossavano perle. Accarezzarono delicatamente le loro collane e si misero a ventaglio attorno a Mike Badon. Lui sfilò elegantemente un filo di perle nere a una di loro e ne spiegò brevemente le caratteristiche. Dopo la sfilata degli eleganti orologi da polso, tra Tom e Hans nacque una frenetica discussione a mezza voce, fatta di commenti discordanti sulle ragazze. Iniziai a sentirmi uno straccio. Starlo a guardare là sopra circondato da tutte quelle bellezze affievoliva ogni mia speranza.

«E ora, signore e signori, direttamente da New York: Deborah, che ci canterà *Diamonds are a girl's best friends*» annunciò.

Oddio, l'avevo visto benissimo: mentre lui stava per lasciare il palco, la cantante di colore si sporse sui tacchi alti e gli diede un bacio sulla guancia. Stetti ad ascoltare la sua voce calda e seguii i suoi movimenti sinuosi ed erotici divorata dalla gelosia.

Di fianco a me, Hans biascicò: «Quella è una bomba».

Che bellezza. Alla fine Mike uscì con tutte le modelle, e Deborah lo abbracciò.

«Che fortuna ha quello» sospirò Hans.

Mi venne un nodo allo stomaco. Odiai tutti gli uomini, soprattutto quello lassù sul palco.

«Le è piaciuto?» mi chiese Mike Badon qualche minuto dopo.

«Molto. Bello davvero» risposi freddamente sfoggiando la mia espressione professionale. Dopotutto io ero qualcuno, ovvero un po' di più di quelle vuote modelle.

«Prima di cena dovremmo ancora discutere dei costi di stampa dei pieghevoli. Come vogliamo fare?» chiesi.

«La chiamo non appena rientro in albergo. A più tardi».

E puff, era già sparito di nuovo dietro le quinte.

Lo seguii con lo sguardo. Vuoi vedere che adesso era lì con Deborah che...?

Peter mi tirò per una manica: «Vieni, andiamo a visitare gli stand della concorrenza».

Ci mancava solo questa. Dopo aver visto settecentonovantacinque diversi orologi, pezzi vari in oro, argento e platino e i relativi kitschissimi allestimenti delle altre marche, ci facevano male i piedi e ci girava la testa. Decidemmo che ne avevamo avuto abbastanza di luccicanti beni di lusso.

«Per stasera ho prenotato alle otto al 'Glöckl'» ci informò Hans.

«Ci vediamo alla lobby dell'hotel una mezz'oretta prima, d'accordo?» chiese.

«Bene, a più tardi» feci io, e mi ritirai nella mia stanza.

Cambiai il pullover con una blusa di seta e mi preparai ad affrontare quello che mi avrebbe riservato la serata.

Suonò il telefono, era Mike Badon: «Salve, sono qui in albergo, vogliamo vederli adesso quei preventivi?»

«Per me va bene» risposi.

«Vengo da lei. Stanza 805, vero?»

«L'aspetto».

Giusto il tempo per un'occhiata rapida nello specchio e già bussavano alla porta. Ecco, ora sarebbe entrato nella mia stanza. Mi sentivo intimorita come una ragazzina al primo appuntamento. Aprii la porta, e lui andò a sedersi mollemente nell'angolo del divano.

«Che giornata! Ma almeno i dati di vendita sono ottimi» riferì Mike Badon.

Con un certo disagio, mi accomodai anch'io. C'era una tale calma nella stanza; fuori iniziava a scendere l'oscurità, e qui era accesa solo la piccola lampada sulla scrivania. Tutto quello che volevo fare era spiegargli i costi previsti.

Iniziai: «Dunque, abbiamo fatto fare dei preventivi per varie tirature. Più è alta la tiratura e più, ovviamente, di-

136

minuisce il costo unitario, e...» non avevo più fiato. Il mio cuore batteva all'impazzata, respiravo troppo in fretta e tuttavia non ricevevo abbastanza ossigeno. Mike Badon mi guardò intensamente negli occhi. Silenzio.

Non sapendo più cosa fare, gli misi in mano dei fogli: «Ecco» dissi, e feci finta di farmi assorbire dalla lettura delle mie copie.

Lui lesse in fretta e disse: «Bene, allora cominceremo con lo stamparne cinquecentomila. È tutto?»

Feci di sì con la testa, perché ancora non avevo recuperato la parola.

Lui guardò l'orologio: «Allora ci vediamo tra poco giù nella hall».

Gli zampettai dietro fino alla porta, lui si girò, mi guardò ancora con quegli occhi e mi regalò un sorriso con fossetta.

«Salve» sussurrai.

Quando fu andato mi appoggiai con la schiena alla porta e mi lasciai scivolare fino a terra. «Hai dimostrato grandissima sovranità, cara la mia regina della pubblicità» dissi a me stessa. Quanti erano i pieghevoli che dovevo far stampare?

Al ristorante Peter assegnò i posti: «E tu, Linda, ti siedi vicino al signor Badon».

Guardai spaurita verso il tavolo di fianco: non c'era via di scampo.

Gli uomini ordinarono birra, io optai per il vino: faceva effetto più in fretta, ed era proprio quello di cui avevo bisogno per scongelarmi. Mi bevvi generosamente il primo bicchiere ancor prima di iniziare a mangiare: lentamente la paralisi alla lingua rientrò, e si risvegliarono i miei baldanzosi spiriti. Nel corso della cena riuscii anche a spostare la discussione su un tema che non fosse necessariamente la fiera.

«E qual è il suo segno zodiacale?» chiesi a Mike Badon facendo la fatalona.

«Leone» disse lui ridendo.

Ci mancava solo questa. I pochi uomini del leone che avevo conosciuto fino ad allora mi avevano sempre affascinata per la loro aura speciale. Cosa che si era purtroppo confermata anche in questo caso.

«E lei invece è dell'ariete, o sbaglio?» chiese lui, e io annuii.

«Per questo noi due ci capiamo al volo» buttò lì sempre ridendo.

«Già. E allora, salute!»

«Perché, cosa c'è tra leoni e arieti?» chiese Hans, facendo lo sprovveduto.

«Un buono scambio di energie» risposi in fretta.

«Mmm, che bontà!» si entusiasmò Peter, occupato a divorare con gusto un gigantesco cosciotto.

'Mangia, mangia da bravo. Ancora un bocconcino?' gli suggerii dentro di me. Il cibo appesantisce e fa venire un sonno fantastico.

«È sicura di aver mangiato abbastanza?» chiese Mike Badon che mi aveva osservata tutto il tempo piluccare senza appetito da un'insalata di carne bavarese.

Lo rassicurai, e ci lasciammo avvolgere dall'atmosfera tradizionale del 'Glöckl'. Birra, vino e il buon cibo fecero il loro effetto: eravamo tutti e cinque di ottimo umore, e ci stavamo divertendo un mondo.

«E per finire, un ultimo bicchierino di *Obstler*» ordinò Peter.

Io lo sorseggiai appena: i liquori mi fanno sempre uscire di testa, mentre non potevo assolutamente permettermi di perdere il controllo della situazione. Ripensai ai consigli di Simone.

«Ehi, ragazzi, la serata inizia adesso» mi rivolsi piena di sprint a Hans e Tom (ma controllando Mike Badon con la coda dell'occhio). «Che ne dite di fare un salto in discoteca? O in un cocktail bar come si deve?»

«Siamo con te» disse subito Hans.

Guardai nervosamente Peter. «Viene anche lei, Peter, vero? La notte è ancora giovane, e la vita è là fuori che ci aspetta. Se viene le prometto di insegnarle a ballare il reggae!»

Avrebbe funzionato? Eccome: Peter si scosse tutto: «Naa, non contate su di me. Io me ne vado diritto a letto».

Tirai un respiro di sollievo. «Lei però viene con noi, vero?» chiesi a Badon cercando di far luccicare gli occhi in modo seducente.

«Veramente sarei stanco da morire, e sarebbe meglio che recuperassi un po' di sonno» indugiò.

Mi venne in soccorso inaspettatamente Tom: «Dormire è uno spreco di tempo».

«Anche questo è vero. Al diavolo, vengo con voi».

Uff, anche questa era fatta. Peter venne spedito via in un taxi, Hans, Tom, Mike Badon e io ci dirigemmo in una nuova champagneria in centro.

I signori colleghi naturalmente si fecero immediatamente riassorbire dalla loro occupazione di commentatori di ragazze, cosa su cui avevo fatto affidamento, così da potermene stare in pace a chiacchierare con Mike Badon.

«Lo sa? In questo momento mi sembra di provenire da un'altra galassia» fece lui, e proseguì: «È il misto di spossatezza e allegria, credo. E poi questo bar assurdo, questi drink... è tutto così irreale!»

«Capisco benissimo quello che vuole dire. A volte, quando finisco di lavorare a notte inoltrata, non riesco ad andare subito a casa. Mi sento ancora così carica dalla giornata che devo uscire e vedermi con qualche amico. Solo così, per chiacchierare e filosofeggiare, finché non si rilascia la tensione che ho accumulato dentro».

Mi sorrise con complicità. Vidi nei suoi occhi marroni dei puntini verde scuro che non avevo mai notato prima. «Una bella serata» disse lui guardandomi sempre a quel modo.

«Allora, ce ne andiamo in discoteca?» ci interruppe Tom.

Mike Badon scosse la testa: «Mi dispiace ma non ce la faccio proprio, con tutta la buona volontà».

«Anch'io sono a pezzi. Rientro con lui in albergo» dissi in fretta.

«Dormi bene, dolcezza» mi salutò Tom.

Non ci pensavo neanche. Iniziavo a svegliarmi proprio ora!

Il minibar

In taxi presi a tremare come una foglia.

«Ha freddo, signora Lano?»

«Un po'».

Mike Badon si chinò in avanti e chiese al tassista: «Potrebbe alzare un po' il riscaldamento, per favore?»

«Venticinque gradi, la prego. Per me è la temperatura minima di sopravvivenza» spiegai.

Attraversammo silenziosi la notte, diretti all'hotel, dove saremmo presto arrivati. Lui si sarebbe quindi gentilmente accommiatato, e io sarei andata a rannicchiarmi disperata e sola come un cane nella mia stanza.

Gli lanciai un'occhiata. Stava guardando fuori dal finestrino. 'Se solo potessi sapere che cosa gli sta passando per la testa!' mi tormentavo. Cercai spasmodicamente di frenare quelle stupide lacrime che premevano per sgorgare. Che cosa mi prendeva?

Il tassista frenò impietosamente di fronte all'ingresso dell'hotel, e Mike Badon pagò la corsa. Scesi senza osare più guardarlo negli occhi. Lui indicò il bar dell'albergo.

«Che ne dice, le va il bicchiere della staffa?» lo sentii dire, come attraverso l'ovatta.

'Grazie, Dio, grazie di cuore!' Naturalmente accettai, e lui mi sfilò galante il cappotto.

«Credo che stasera il bar abbia fatto cassa solo grazie alla mia ditta» scherzò.

Mi guardai intorno e finalmente realizzai anch'io la presenza di tutti quegli uomini intorno a noi. Andammo a sederci nell'unico angolino ancora libero, mentre lui salutava a destra e a sinistra.

Mike Badon mi spiegò chi erano le varie persone: «Quello laggiù con la cravatta rossa è il direttore delle vendite. Gli altri sei sono nostri rappresentanti. Il signor Häuser, il responsabile delle organizzazioni fieristiche, ha già avuto modo di conoscerlo. E il gruppetto là dietro sono i product manager degli orologi e dei gioielli».

Alcuni mi ricordavo di averli già visti alla presentazione. In ogni caso, era evidente che la nostra apparizione non era passata inosservata: tutti i signori erano occupatissimi a sbirciarci cercando di non dare nell'occhio. Ma in quel momento non me ne importava un bel niente.

«Champagne?» chiese Mike Badon.

«Volentieri. È proprio quello che ci vuole per festeggiare la giornata chiudendo in bellezza».

«Coraggio, mi racconti un po' di lei» mi invitò.

Deglutii a fatica. Che cosa gli potevo dire? «Be', un po' di cose le sa già».

«È vero» ammise. «Ma dica un po', con chi era a Sylt quando ci siamo visti?»

Gli raccontai delle mie amiche e di come ci eravamo godute quel weekend di aria pulita, sorvolando, s'intende, sui postumi della sbornia. Lo feci ridere con la storia del treno, e tra noi si creò un'atmosfera sempre più intima. Il suono della sua voce era così caldo e avvolgente, e mi piaceva tutto quello che diceva. Oh, se solo quella notte avesse potuto non terminare mai! Gli guardai ancora una volta quella sua bellissima bocca, poi alzai lo sguardo nei suoi occhi, e lui lo ricambiò serio.

«Non possiamo farlo, Linda» disse lui con un tono calmo.

Mi sbagliavo o mi aveva appena chiamata Linda?

Lo guardai con il cuore in gola. Niente più intorno a me mi sembrava reale: mi sentivo come sotto una gigantesca campana, come fossimo completamente soli o su un altro pianeta lontano.

«Cosa?» chiesi confusa.

«Non ti sei accorta che tutti stanno parlando di noi? Non stanno aspettando altro che noi adesso ci alziamo e ce ne andiamo via assieme, per avere una conferma alle loro speculazioni».

Improvvisamente il 'tu' era diventato la cosa più naturale di questo mondo.

«Credi?» chiesi prendendo nervosa un sorso di champagne.

«Ehi, baby» sentii dire, e alzai spaventata lo sguardo.

Davanti a noi si parava Deborah, l'attrazione canora direttamente da New York. Era sì vestita, ma di una stoffa così trasparente che sembrava una statua: perfettamente tornita e nuda. Mi lanciò una lunga occhiata e poi si chinò su Mike, a sussurrargli qualcosa nell'orecchio che lo fece alzare.

«Torno subito» si scusò, e si allontanò con lei verso il bancone.

Non riuscivo a credere ai miei occhi. Prima mi gettava nello scompiglio più totale con quel suo tono confidenziale, e poi se ne andava via a braccetto con quella specie di Barbie canterina mollandomi come un pesce lesso. Mi misi a mordicchiarmi nervosamente le unghie: mi sarei messa a piangere. Al confronto di Deborah mi sentivo una zitellina di campagna. Poi lui tornò, e io fissai rabbiosa il mio bicchiere.

«Era Deborah» mi disse, ancora tutto sorridente.

«Buon per te» replicai acida.

«Anche lei ci stava guardando» continuò lui.

«Ma davvero?» inarcai le sopracciglia.

«Ci conosciamo da anni: una volta io suonavo in una band, a Francoforte, e lei era la nostra cantante. Per un po' siamo anche stati assieme».

«Che bellezza!»

Posò un attimo la sua mano sulla mia. «Sì, e mi ha appena detto che nel momento stesso in cui siamo entrati in questa stanza ha capito perché tutto a un tratto ero diventato così freddo nei suoi confronti».

Lo guardai stralunata: «Ah sì? E perché?»

«Non riesci proprio a immaginarlo?»

Io non volevo più immaginarmi un bel niente, volevo

sentirmi dire le cose come stavano. Lo guardai interrogativa.

Lui disse sottovoce: «Per via di quella donna con dei grandi occhioni blu e tutte quelle piccole lentiggini sulla punta del naso...»

Sentii il sangue ribollire nelle vene: mi sarei data un pizzicotto per essere ben sicura che non stavo sognando. Rimanemmo seduti a guardarci: sguardi densi di significati, vibranti di eccitazione.

A un certo punto Mike disse piano: «Linda, è tardi da morire, e anche domattina dovrò alzarmi presto. È meglio se finiamo qui la nostra serata».

Pagò e recuperò il mio cappotto. I suoi colleghi ci salutarono con ghigni supponenti. Gli trotterellai dietro come una bambolotta legata a un filo fino all'ascensore, dove lui schiacciò il pulsante con sopra l'otto.

«Sono anch'io all'ottavo piano» spiegò.

Giocherellai nervosamente con le chiavi della mia stanza e seguii sul quadrante le lucine dei piani che si accendevano. Uscimmo e ci guardammo.

«Be', allora...» cominciò lui.

Oh no, non poteva finire così. Per fortuna la disperazione rimise in moto il mio cervello, e con stupore mi sentii pronunciare le parole: «Che ne dici di un ultimissimo goccetto della buonanotte da me? Ho un minibar che...»

Non avevo ancora finito la frase che già mi sembrò la cosa più sbagliata che avrei mai potuto dire. Mike tacque, e anch'io.

Infine chiese: «Credi davvero che sia una buona idea?»

Adesso o mai più: «Sì» dissi senza pensarci un attimo, e iniziai a camminare lentamente all'indietro verso la mia stanza, senza levargli gli occhi di dosso. Lui mi seguì esitante.

Ed eccoci lì. Estrassi in fretta dal frigorifero una bottiglietta di spumante, e riempii due bicchieri fino all'orlo. Rimanemmo uno di fronte all'altra come due bambini insicuri, ignorando i bicchieri sul tavolino. Dentro di me sentivo espandersi una strana vibrazione. Avevo una paura terribile, e un terribile desiderio di quell'uomo. Mike abbassò lo sguardo su di me: «Posso finalmente baciarti?» chiese.

In risposta avvicinai semplicemente il mio viso verso di lui, e per la prima volta sentii le sue meravigliose labbra contro le mie. Non era la bocca di Kinski o di Belmondo, era la bocca di Mike, che mi stava baciando. Chiusi gli occhi e mi lasciai andare completamente a quella sensazione inebriante. Non c'era più niente da fare: la povera Linda era partita, completamente persa.

«Dove vorresti essere in questo momento, Linda?»

Sorrisi e dissi trasognata: «Qui, credo. Qui con te, o altrimenti con te in qualche posto al sole».

Lui mi baciò. «Sì» disse, e continuò la mia visione romantica: «In un campo di girasoli. Ti piacciono i girasoli? Sono piante bellissime che seguono il corso del sole. I girasoli sono un simbolo di calore e di amore».

«...Di calore e di amore» ripetei assorta.

Mike rise: «Se qualcuno ci potesse sentire in questo momento, ci affibbierebbe di corsa l'etichetta di 'romantici senza speranza'».

Si mise a giocherellare con i miei capelli.

«Preferisci le bionde?» chiesi agguantando il coraggio a due mani.

Rise di nuovo e mi scompigliò definitivamente quello che rimaneva della mia pettinatura.

Lo spumante non lo toccammo neppure. Bevemmo da un bicchiere del fresco succo di ciliegia mentre fuori la notte si dileguava e si faceva sempre più chiaro.

«Sono già le sette» fece lui guardando la sveglia. «Devo alzarmi».

Detto, fatto. Si alzò e mi abbracciò: «Verrai in fiera, più tardi?»

Dubbi

Incontrai Peter a colazione. «Allora? Riposato bene?» mi salutò ad alta voce.

'Se solo sapesse...' mi passò per la testa.

«Benissimo. E lei?»

«Bene, bene» fece lui tutto allegro.

Girai piano il cucchiaino nella tazza.

«Non mangi niente?» si stupì il gran maestro. Scossi la testa e mi accesi una sigaretta.

«Che orrore! Già al mattino presto?» protestò.

Sorrisi e sbuffai il fumo in un'altra direzione.

Lasciammo assieme l'albergo e andammo a incontrarci con gli altri ai cancelli della fiera. Tom e Hans avevano visibilmente passato la notte in bianco.

«Puzzate di alcol lontano un miglio» li rimproverò Peter.

«Vi auguro di poter diventare tanto vecchi quanto lo sembrate oggi!» scherzai prendendo Hans per un orecchio.

Lui si schermì: «Be', non capita tutti i giorni di essere a Monaco...»

Come aveva ragione! E non poteva immaginarsi quanto fossi contenta di essermi portata dietro tutto il mio armamentario di trucchi al completo. Era solo grazie a quello che avevo potuto nascondere per bene i segni della mia stanchezza. Entrando nel padiglione dove ci attendeva il minuetto di commiati mi nascosi dietro alle larghe spalle dei miei uomini. Mi girava la testa dall'emozione: come si sarebbe comportato Mike?

Peter lo scorse per primo, e gli andò subito incontro. Mentre i due scambiavano quattro chiacchiere, io me ne rimasi imbarazzata in disparte.

«Salve» disse il mio amante di quella notte.

«Buongiorno» risposi.

Ci scambiammo i soliti formali convenevoli, e lui fu

davvero molto gentile, con noi tutti. Aspettai ansiosamente un segno qualsiasi da parte sua: una parola, un'allusione nascosta. Niente. Prima ancora che io, nelle condizioni in cui mi trovavo, potessi accorgermi di cosa stava succedendo, ci eravamo già tutti salutati, e stavamo in mezzo alla strada. Salii oppressa nel taxi e sprofondai nel silenzio. Ad Amburgo mi aspettava un lungo weekend.

La prima cosa che feci una volta arrivata a casa fu di indossare il mio maglione morbidoso: mi sentivo un tale freddo dentro...

Che avesse solo voluto provare fino a dove poteva spingersi? Avrebbe archiviato quella nottata come una delle sue 'conquiste', tutto soddisfatto di avermi posseduta? Cosa avrei dovuto fare quando mi avesse chiamata per discutere un nuovo progetto, fingere che non fosse successo nulla?

A furia di dubbi e domande mi venne la nausea. Decisi di chiamare Simone.

«Allora, come è andata?» chiese curiosa.

«Sono cooosì infelice!» attaccai a frignare al telefono.

«Oddio, vuoi che venga lì?»

«Sì» piagnucolai.

Quando finalmente arrivò da me, la accolsi in un mare di lacrime. Simone mi tenne stretta per un po', poi si prese dalla cucina un bicchiere di succo di frutta e cercò di interpretare il mio comportamento.

«La nostra strategia non ha funzionato? Non sei riuscita a liberarti del tuo boss?»

«Ma sì» riuscii a dire a stento tra le lacrime. «Però ci siamo dimenticate di prendere in considerazione il dopo!»

«Il dopo?» chiese stupita.

Soffiai forte il naso nel fazzoletto e cercai di spiegarmi: «Sì, ero sola con lui. Quasi sola, diciamo. E insomma eravamo lì al bar dell'albergo per un ultimo drink, una sua idea, tra l'altro. E poi abbiamo preso l'ascensore». Sulla guancia mi scese un'altra lacrima.

Simone si sporse in avanti: «E poi? Ha cercato di sedurti?»

«No» piagnucolai, «molto peggio!»

«È stato violento?» chiese preoccupata.

Sgranai gli occhi: «Per niente!»

Simone sbuffò spazientita: «Senti, smettila di farti cavar fuori le parole con la pinza. Parla, maledizione!»

La guardai intimidita: «Be', l'ho invitato nella mia stanza. Per essere precise, al mio minibar».

Simone si lasciò cadere all'indietro. «Nella tua stanza?» chiese esasperata. «Ma sei impazzita?»

«Evidentemente» dissi seccamente.

«Vai avanti» mi incoraggiò.

«E poi mi ha baciata» ammisi ritrosa.

«E nient'altro?»

«In qualche modo alla fine ci siamo ritrovati a letto».

«Ma che bravi!» fu il suo unico commento.

«È stato così bello, così eccitante, così dolce, sì insomma sai cosa voglio dire... Da sogno, ecco».

Ascoltò pensierosa le mie parole, e poi chiese: «Mi potresti fare il piacere di spiegarmi perché ti stai consumando gli occhi nel fazzoletto, allora?»

«Be', prima di tutto sono molto stanca! Ma il peggio è stato doverlo vedere dopo, alla fiera. Non mi ha detto neanche una parolina in privato, niente di niente. Ho una paura boia che quello sia stato tutto, che non si faccia mai più vivo». La guardai sconsolata.

«Be', non sarete stati certo soli, alla fiera, no?» chiese la mia amica.

«Certo che no».

«E allora che cosa avrebbe dovuto fare? Non poteva mica comprometterti davanti a tutti i tuoi colleghi! Ti ha almeno chiesto il numero di telefono?»

La guardai a occhi spalancati e scoppiai nuovamente in lacrime: «Noooo!»

Simone fece un gran sospiro. «Be', Linda, non ti resta che metterti il cuore in pace e aspettare».

Cercai di immaginare le ore che mi attendevano: «Ma è terribile!»

«Avanti, adesso ti sdrai un pochino e ti riposi. Sei uno straccio!»

Lasciai che mi accompagnasse a letto e che mi baciasse sulla fronte, poi se ne andò abbandonandomi sola con la mia infelicità.

Le tende marrone scuro della mia stanza si muovevano dolcemente all'aria. Seguii il loro ondeggiare, incapace di articolare un qualsiasi pensiero chiaro. Rivissi la notte precedente in ogni minimo dettaglio, e mi sentii sempre più sola. A un certo punto il sonno prese il sopravvento.

La domenica sembrò non dover mai finire. Leggiucchiai distrattamente per un po', finché non gettai il libro in un angolo.

«Mike» sussurrai. Assorta nei miei pensieri, mi toccai le labbra. Ormai parlavo da sola: «Chissà se anche tu in questo momento stai pensando a me?»

Mi venne in mente il libro di astrologia che avevo comprato per l'ultima serata da nubile di Baba, mi sistemai eccitata sul divano e mi misi a cercare il capitolo 'lei ariete, lui leone'. Sembrava tutto al meglio, anche se non c'erano accenni a delle lei ariete che avessero sedotto un lui leone e ora aspettassero disperate nel loro appartamento un qualsiasi segno. Con la testa piena di mille dubbi e domande, sopravvissi anche a quella sera e alla notte agitata che le seguì.

«Hai un aspetto stanco» mi salutò Anni il mattino dopo all'agenzia.

Io bofonchiai qualcosa tipo «Guardato troppa tele» e

mi ritirai nel mio ufficio. Sfogliai alcune carte con la testa assente, senza capire neppure lontanamente che cosa stavo leggendo. Il suono del telefono mi fece trasalire. Lo fissai e mandai svelta al cielo un'invocazione. Senza fiato, sollevai la cornetta.

«Buongiorno, sono Domann» fece una voce dall'altro capo.

Maledizione, decisamente la telefonata sbagliata!

Lo scaricai gentilmente e decisi di farmi un altro caffè. Mentre sorseggiavo la brodaglia scura, mi vennero di nuovo le lacrime agli occhi.

Bisogna essere delle stupide per andare a letto con un uomo di cui non si sa nemmeno se nel caffè prende latte o zucchero.

La mia fantasia ricominciò a volare alta: mi apparvero davanti agli occhi tutte le variazioni più terrificanti della successiva riunione di lavoro con Mike Badon. Mi vidi nella nostra sala delle conferenze balbettante, rossa come un peperone, confusa, kaputt. Perché non si faceva vivo? Ormai doveva essere rientrato anche lui nel suo ufficio a Francoforte. Tutti i miei pensieri andavano a parare lì: Mike Badon. Perché non ero rimasta fedele alla mia prima impressione su di lui, quando, durante la nostra presentazione, lo trovai un personaggio orribile? Magari lo era davvero. Però, se ripensavo alla nostra notte assieme...

Di nuovo quello stupido telefono. «Linda, potresti venire un attimo all'ingresso?» mi pregò la ragazza della reception.

Alzarsi e camminare, che fatica! Mi avviai svogliata all'ingresso. «Che c'è?» chiesi scontrosa.

La ragazza indicò i tasti che le lampeggiavano davanti segnalando le telefonate in arrivo. Mi appoggiai contro il muro e attesi indifferente che lei ripetesse cinque volte di seguito la sua solita frasetta di saluto per poi dirottare la telefonata all'ufficio richiesto. Finalmente si voltò verso di me e fece segno con un dito: «In cucina».

Scossi la testa: «Ti ringrazio, ne ho già avuti abbastanza, di caffè».

«No, hanno portato qualcosa per te, e non sapevo dove farlo mettere...»

Probabilmente un altro di quei noiosissimi pacchi pieni di prodotti campione. Altri litri di spray impermeabilizzante o qualche barile di margarina dietetica.

Mi avviai senza entusiasmo verso la cucina, aprii la porta e mi portai le mani alla bocca per lo stupore. Stavo sognando? Era lo spettacolo più bello che avessi mai visto in vita mia.

Girasoli. Ad altezza d'uomo. Almeno venti esemplari in un mastello gigantesco pieno d'acqua.

La centralinista sporse la testa nella stanza. «Li hanno portati due uomini. Spero che tu ce la faccia a portarli a casa da sola».

Io ero ancora lì, ammutolita davanti a quei grossi fiori color oro, quando arrivò Hans che mi tirò da parte.

«Fammi passare, ho bisogno di un caffè». Vide i girasoli e chiese incuriosito: «Sono per te?»

Io feci di sì con la testa.

«Perché?»

Accarezzai delicatamente una foglia e risposi sognante: «Perché i girasoli sono un simbolo di calore e di amore».

Il piccolo Hans ghignò di gusto: «Ma guarda cosa mi tocca vedere! Ti sei presa una cotta, o sbaglio?»

'Naa, meglio non sbilanciarsi, con lui!' pensai.

«Avanti, sputa il rospo!» continuò a scavare, avido di pettegolezzi.

Io intanto, osservando un riserbo da vera lady, cercavo di sfilare un fiore dal mazzo mammutesco.

Hans mi pizzicò sfrontato sul fianco. «Attenzione: il dipartimento relazioni esterne è decollato, e sembra aver già raggiunto il settimo cielo!»

Lo mollai lì in cucina e mi diressi all'ufficio armata del mio fiore.

Eccolo qui il messaggio di un uomo, un uomo che era piuttosto lontano. C'erano almeno cinquecento chilometri tra di noi, in linea d'aria, per non parlare di un bel muro di domande!

'Ma l'hai voluto tu' riflettei. 'Sempre in cerca di nuove sfide, di successi sempre più difficili da raggiungere'.

Qualche goccia d'acqua mi cadde sul piede sinistro dallo stelo.

'Mah, chissà quanto durerà il sereno?' andavo chiedendomi.

'Plic, plic' gocciava ora sul destro, tanto per cambiare. Allungai le gambe e osservai per bene i miei piedi, fedeli compagni di tanta strada.

«E voi che ne dite? In fondo c'eravate anche voi».

Da là sotto, nessuna risposta.

«Non vi piacerebbero due compagni di camminata?»

Guardai la fonte di quelle gocce e decisi di procurare subito un po' di acqua fresca per i poveri fiori. In fondo, anche i girasoli hanno bisogno di cure, così durano più a lungo.

...e vissero tutti felici e contenti?

Indice

Finito di stampare nel mese di febbraio 2002
presso il Nuovo Istituto Italiano d'Arti Grafiche - Bergamo

Printed in Italy

donne & Co.

Periodico mensile, anno I, n. 2
Registrazione in corso presso il Tribunale di Milano
Direttore responsabile: Rosaria Carpinelli

TINA GRUBE

È nata nel 1962 a Berlino, dove vive. Ha studiato Comunicazione d'impresa; oltre a scrivere, lavora come copywriter e creativa per molte agenzie di pubblicità. I suoi libri, *Gli uomini sono come il cioccolato* (1997) e *Me ne infischio dei belloni* (1998) in Italia sono pubblicati da Salani.

SUPER**P**OCKET

grandi best-seller da grandi editori

Torna l'esilarante penna dell'autrice
di *Ne parliamo a cena* con tre nuove protagoniste
scatenate e indimenticabili

Stefania Bertola

ASPIRAPOLVERE DI STELLE

Agenzia Fate Veloci, servizi per la casa: sembra
una giornata come tutte le altre. Ginevra, bella,
bionda e afflitta da un rimpianto insuperabile,
si prepara ad andare a interrare bulbi sul terrazzo
di un cliente. Arianna, moglie, madre e aspirante
adultera, deve preparare un couscous gigantesco
per gli ospiti di una signora svaporata.
E Penelope? Arranca come ogni giorno sotto
il peso dei detersivi, i suoi attrezzi del mestiere:
questa volta le tocca un "ritorno moglie",
ovvero come rendere presentabile la casa
di un commercialista che ha giocato allo scapolo
per una settimana. Ma non è affatto una giornata
come le altre, perché squilla il telefono:
la voce suadente di uno sconosciuto propone
un lavoro piuttosto insolito... Comincia così
per Ginevra, Arianna e Penelope un periodo
frenetico, ambiguo e innamorato,
in cui conquistare un uomo affascinante
e sfuggente, e intanto continuare a vedersela
con i problemi di tutti i giorni...

www.salani.it

SALANI EDITORE